Mi cocina
desintoxicante

HISPANO
EUROPEA

MARIE BORREL

Mi cocina
desintoxicante

20 productos esenciales
40 recetas sencillas y apetitosas

LA ALIMENTACIÓN: FUENTE DE SALUD

Fotografías : Michel Langot

ÍNDICE

El viaje del explorador no consiste en descubrir tierras
nuevas sino en saber mirar con otros ojos.

MARCEL PROUST

En busca del tiempo perdido

PRÓLOGO

Apasionado de la nutrición durante casi treinta años, es para mí un placer y un honor escribir el prólogo de esta colección. Un placer porque la nutrición está en el centro de todas las investigaciones que he llevado a cabo en numerosos ámbitos (obesidad, inmunología, cancerología, enfermedades degenerativas…). Un honor porque Marie Borrel forma parte de esos profesionales de la escritura que pueden presumir de buena pluma y que saben transmitir mensajes con el corazón y con el espíritu. Todo eso es necesario para que el público aprenda, comprenda y pueda integrar realmente nuevos hábitos alimentarios en su vida cotidiana. Toda forma de conocimiento es preciosa y fundamental cuando se trata de conseguir que las mentalidades evolucionen.

Puede parecer extraño que un médico especialista, neurobiólogo, haya asociado la nutrición a todos sus programas de investigación. Pero todo se comprende con facilidad si pensamos que los alimentos y el acto de nutrirse han sido considerados sagrados durante más de diez mil años. Ninguna prescripción médica se ha llevado a cabo jamás sin las recomendaciones dietéticas correspondientes. En ocasiones, incluso el «régimen alimenticio» es el único tratamiento prescrito.

«Que tu alimento sea tu primer medicamento» decía Hipócrates, padre de la medicina moderna. Glorificamos su nombre pero olvidamos demasiado pronto sus conceptos fundamentales para mantener la buena salud. Hemos banalizado la comida: hace más de medio siglo que esta forma parte de una estrategia de marketing; actualmente tratamos los alimentos como elementos externos a nuestra conciencia del mundo.

Sin embargo, la alimentación nos crea, nos impregna y nos educa. Es lo que comemos lo que nos permite desarrollarnos, renovarnos, mantener la extraordinaria maquinaria de nuestro organismo. Hay que entender que la manera de alimentarse, la forma de crear platos, de asociar alimentos para conseguir recetas sabrosas y equilibradas, adaptadas a diferentes situaciones y a los problemas de la vida diaria, influye directamente en nuestra salud física y mental, en nuestro bienestar y en nuestra vitalidad. Marie Borrel propone, en esta colección, consejos prácticos y recetas simples para reanudar el hábito de la nutrición saludable y, sobre todo, la nutrición que nos haga felices. No lo olvidemos nunca: somos lo que comemos y lo que pensamos. Espero que estas recetas nutran vuestros cuerpos y vuestras almas, alimentando la alegría de vivir. Este es, sin duda alguna, el objetivo de la presente colección. En cualquier caso, me permito deseároslo de todo corazón.

DR. YANN ROUGIER

>>> INTRODUCCIÓN

Las claves de la alimentación desintoxicante

Al llegar la primavera nuestras abuelas hacían limpieza general de la casa: lavaban las cortinas, pulían los suelos, retiraban todos los muebles para eliminar el menor rastro de polvo, sacaban brillo al cobre, desengrasaban a fondo las sartenes y cacerolas, ventilaban los graneros... Esa limpieza primaveral también la llevaban a cabo nuestros abuelos, de manera casi ritual, en el interior de sus cuerpos: acabado el invierno se seguían las recomendaciones alimenticias de la cuaresma, que preconizan comidas ligeras.

En numerosas culturas existen ritos de purificación interior que pasan también por la alimentación, entre ellos el ramadán de los musulmanes o los ayunos rituales de las tradiciones orientales. Dichas prácticas ancestrales se basan en una realidad biológica. Igual que el medio en el que vivimos, nuestro medio interior tiene necesidad, periódicamente, de «desempolvarse», de sanearse y limpiarse a fondo. Nuestra vitalidad y nuestra salud dependen de ello.

>>> Deshechos y toxinas

Hay dos tipos de deshechos que ensucian nuestro organismo. Los primeros y los más numerosos son productos del propio organismo. Son los residuos de las operaciones metabólicas. Cada día tenemos que eliminar de cinco a siete millares de células muertas o dañadas. Los segundos son deshechos producidos por la alimentación: todo lo que comemos debe ser degradado en el curso de la digestión y después transformado para poder ser asimilado. Estas complejas operaciones producen deshechos, como el fuego del hogar deja cenizas. Así, las proteínas se rompen en unidades más pequeñas, los aminoácidos, operación que engendra urea y ácido úrico. La combustión de azúcares deja tras sí ácido láctico. La transformación de las grasas produce acetonas...

A todo ello se añaden las sustancias químicas (conservantes, colorantes, etcétera) y los contaminantes que respiramos o ingerimos (humo de tubos de escape, me-

¡LEAMOS LAS ETIQUETAS!

Los alimentos industriales están repletos de aditivos químicos que, por separado, son completamente inocuos según se desprende de los estudios que se realizan. Pero a fuerza de ir consumiendo pequeñas cantidades acabamos por perturbar nuestro metabolismo. Sin renunciar a nada, no cuesta tanto leer las etiquetas cuidadosamente y escoger aquellos artículos que contengan menor cantidad de aditivos.

tales pesados…). Todos esos deshechos se acumulan en nuestros tejidos y se incrustan en nuestro organismo.

Del mismo modo que una chimenea tira peor cuando está repleta de hollín, las operaciones metabólicas se realizan con mayores dificultades en un organismo lleno de toxinas. Nuestra máquina vital se ralentiza. La fatiga se instala en nosotros. La inmunidad se debilita. Y aparecen los problemas…

>>> Un rompecabezas de células

Nuestro cuerpo está compuesto por células, organizadas entre ellas como un inmenso rompecabezas que forma los órganos, los músculos, los tejidos… Cada célula es como un pequeño organismo, con sus propios órganos que le permiten respirar, alimentarse, transformar los nutrientes en energía y… eliminar deshechos.

Contrariamente a los seres vivos que ellas conforman, las células no tienen ni alas ni patas ni aletas que les permitan desplazarse para ir a buscar comida o para evacuar sus deshechos. Son completamente dependientes del medio en que viven. El oxígeno y las sustancias nutritivas deben ofrecérseles en el sitio donde ellas están y sus deshechos deben ser agrupados y conducidos hacia la salida. Esas tareas están aseguradas gracias a los líquidos orgánicos. Para empezar está la sangre, que lleva oxígeno y se lleva el gas carbónico para eliminarlo a través de la respiración. También es la sangre la que acarrea los nutrientes hasta las células y se lleva los deshechos hasta los órganos de eliminación. Seguidamente está la linfa y los fluidos corporales, que juegan un papel similar. Nuestras células nadan en un líquido (el líquido intersticial) del que reciben algunos nutrientes y al que expulsan algunos deshechos. Luego, estos se concentran en la linfa, un líquido blanquecino que circula por una red de canales que desembocan en la circulación sanguínea, encargada de la eliminación final.

>>> Varias centrales de depuración

Contamos con diferentes órganos encargados de librar a la sangre de esos deshechos. Los pulmones evacuan gas carbónico y el hígado y los riñones son filtros. Junto con los pulmones, la piel y los intestinos, forman lo que se llama órganos emuntorios o depurativos. Son nuestras centrales depuradoras.

Nuestro cuerpo se compone de millones de células; si las pusiéramos en el suelo, una al lado de otra, cubriríamos 200 hectáreas. Se nutren mediante una red de diez mil kilómetros de vasos, pequeños y grandes. La sangre necesita sólo un minuto para dar la vuelta completa por esa red: ¡increíble! Y nunca se detiene en esa carrera estresante. La linfa sólo circula de arriba a abajo del cuerpo. Su trayecto es más corto pero más laborioso porque no cuenta con una bomba propulsora como el corazón. Sin embargo, su trabajo es tan importante como el de la sangre para nuestra salud y nuestro equilibrio interno. Vaciándose en la vena cava, al nivel de las clavículas, añade su contenido a la sangre y sus deshechos van a parar a la circulación general para pasar por las mismas centrales depurativas que la sangre. Cuando la sangre atraviesa el hígado, se filtra y se limpia de deshechos. Cuando atraviesa los riñones, se purifica de nuevo. Los deshechos se eliminan a través de la orina. La piel también asegura una parte del trabajo mediante la transpiración y los intestinos aportan su granito de arena eliminando los restos alimenticios que no han podido ser asimilados.

> > >   Cuando se sobrepasan los límites

Este dispositivo, complejo y astuto, es tremendamente eficaz a condición de que llevemos una vida sana. Pero ocurre que nuestra alimentación no siempre es equilibrada ni de buena calidad; comemos demasiadas grasas animales, que obstruyen nuestras arterias y producen muchas toxinas; ingerimos demasiados alimentos industriales que contienen ingredientes químicos (colorantes, conservantes, aditivos…); vivimos en entornos contaminados y respiramos un aire impuro desde hace mucho tiempo. Incluso los medicamentos que tomamos para deshacernos de ciertos síntomas tóxicos producen más toxinas.

Para colmo, a menudo estamos estresados. Y el estrés contribuye a las dificultades de eliminación. Para empezar, una parte de nuestra energía vital se moviliza para hacer frente a las situaciones estresantes, energía que luego nos falta para las operaciones metabólicas. Después, el estrés favorece la producción de radicales libres, responsables del envejecimiento celular, que estropea las células y perturba su correcto funcionamiento.

¡DRENAD, ELIMINAD!

El drenaje linfático es un tipo de masaje especialmente concebido para mejorar la circulación de la linfa en los canales linfáticos. Un sistema de roces, presiones y amasados manuales ayuda a este espeso líquido a remontar más fácilmente hacia la parte superior del cuerpo, donde encuentra la puerta de salida hacia el sistema global de evacuación. Este masaje es practicado por profesionales especialmente formados en esta técnica.

Finalmente, cuando estamos tensos, tendemos a multiplicar las conductas que producen deshechos: abuso de café, de tabaco, de alcohol… Comemos de manera compulsiva y aumentamos la cantidad de alimentos azucarados, que tienen una acción calmante instantánea pero que desequilibran a largo plazo. Así, nuestros órganos depurativos acaban exhaustos por la magnitud del esfuerzo que tienen que hacer y, sin poder cumplir con la totalidad de su cometido, los deshechos se van acumulando poco a poco en los fluidos orgánicos.

Se pone en marcha un auténtico círculo vicioso. La acumulación de toxinas perturba el funcionamiento de los órganos de eliminación, que cada vez hacen peor su trabajo, lo cual aumenta la cantidad de toxinas acumuladas… y así indefinidamente. La calidad de los líquidos vitales se deteriora. El líquido intersticial acaba pareciendo una ciénaga en la que nuestras células apenas pueden respirar y alimentarse: cuando el organismo se ve obstruido, las células no pueden tomar los nutrientes que la sangre les aporta. ¡De nada sirve entonces hacer una cura y tomar complementos alimenticios vitaminados! Hay que empezar por limpiar el organismo en profundidad y liberarlo de toxinas antes de someterlo a un plus de nutrientes.

>>> Respirad, transpirad

Para diseñar el programa de limpieza interior hablamos de «desintoxicación» porque se trata de eliminar sustancias tóxicas. El término viene del griego toxicon, palabra que designa el veneno empleado para embadurnar las flechas. Del mismo modo, las toxinas que se acumulan en nuestro cuerpo son como flechas envenenadas dentro del organismo.

Las sociedades tradicionales han desarrollado diversas técnicas de desintoxicación eficaces, casi siempre asociadas a prácticas rituales y religiosas. Las sesiones de sudación de los indios de América del Norte les permiten, por ejemplo, limpiar cuerpo y alma al mismo tiempo. La primera «limpieza» se hace a nivel fisiológico a través de la transpiración; la segunda a un nivel simbólico y ritual gracias a la intervención de las plantas, cantos sagrados y prácticas chamánicas. En la medicina tradicional china, una de las prácticas de purificación del organismo lleva el nombre de nei kung. Esta permite limpiar la energía vital para mejorar su circulación.

La sauna de los países nórdicos y el hammam de los países orientales tienen un objetivo similar. El calor seco primero y el calor húmedo en segundo lugar provocan una sudoración que acelera la eliminación de toxinas. Este tipo de saunas se ha desarrollado en Occidente y podemos recurrir a ellas un poco para todo. Son una preciosa ayuda de cara a la desintoxicación a condición de respetar una serie de reglas fundamentales de precaución. La sauna está desaconsejada para las personas que sufren problemas cardiovasculares.

Otra ayuda magnífica, simple y natural, consiste en la respiración. A menudo respiramos mal, de manera superficial, utilizando solamente una parte de nuestra capacidad pulmonar. Los intercambios gaseosos son limitados, tanto en lo concerniente al aporte de oxígeno como en lo relativo a la eliminación del gas carbónico. Basta con pararse unos minutos, dos o tres veces al día, y tomarse el tiempo necesario para respirar profundamente y que los intercambios gaseosos se amplifiquen. De repente, la circulación sanguínea se acelera y la eliminación por parte de los órganos implicados mejora.

>>> El agua y las plantas

Otra actitud desintoxicante o «detox» simple y eficaz consiste en beber agua. Para eliminar toxinas a través de la orina, los riñones necesitan un aporte suficiente de agua. Algunas aguas minerales tienen, además, una acción ligeramente diurética que acelera más la eliminación de los deshechos. La cantidad de agua aconsejada es de un litro y medio al día. Pero eso sólo es una media, porque cada metabolismo es particular y algunas personas tienen más necesidad de agua que otras. Una cosa es segura: hay que beber antes de tener sed, en pequeñas cantidades y bien repartidas a lo largo de toda la jornada.

Para aumentar la eficacia del agua ingerida, podemos preparar infusiones de plantas que drenan: el romero y la menta drenan el hígado; la reina de los prados y la vellosilla (o pilosela) ayudan a los riñones en su cometido; la malva y el malvavisco mejoran el trabajo intestinal; el eucalipto y el tomillo aceleran la eliminación de toxinas pulmonares… Sin olvidar las plantas relajantes, como la lavanda o la melisa, que contribuyen a bajar el nivel de «contaminación nerviosa» engendrada por el estrés.

>>> La alimentación desintoxicante o «detox»

Sin embargo, todas estas prácticas detox no son verdaderamente eficaces si no se asocian a un cambio de hábitos alimenticios. La alimentación no sólo es nuestra primera fuente de producción de toxinas, sino que es la más fácil de mejorar.

Cuando atravesamos una época de sobrecarga física, nerviosa o emocional, es muy difícil acabar con todo para poderse limpiar por dentro eliminando las fuentes del estrés. Cuando se vive en un entorno contaminado es casi imposible protegerse de los problemas. Pero en el ámbito de la alimentación basta con que tomemos la decisión.

Una alimentación detox no tiene nada que ver con el ayuno ni con una dieta restrictiva. El placer de cocinar y de comer está siempre ahí, al alcance de nuestra mano. Lo único que hay que hacer, durante algunas semanas, es priorizar los alimentos que drenan que nos ayuden a eliminar toxinas y asociarlos a otros cuya asimilación genere pocos deshechos. Eso significa preferir el pescado a la carne, evitar los quesos grasos y reemplazarlos por quesos frescos, preferentemente de cabra, priorizar el aceite crudo frente a la mantequilla y poner el acento en la fruta, la verdura y los cereales integrales.

>>> Los nutrientes que ayudan a eliminar toxinas

>>> Las vitaminas

La vitamina B1

Actúa principalmente sobre el sistema nervioso. Es interesante en los períodos de desintoxicación porque hace frente a los efectos tóxicos del alcohol. Nuestras necesidades de vitamina B1 aumentan cuando se consume regularmente alcohol, café o tabaco. La encontramos principalmente en el pescado, el arroz integral y el pan integral.

La vitamina B15

Esta vitamina ayuda al organismo a desprenderse de las sustancias contaminantes. Ayuda al hígado a evacuar grasas que lo obstruyen. La encontramos en cantidades importantes en el pan integral y el arroz integral.

La vitamina C

Es la reina de las vitaminas y la más conocida por el gran público. Actúa a numerosos niveles y participa en la mayor parte de intercambios metabólicos. En materia de desintoxicación, protege el corazón disminuyendo las tasas de colesterol en sangre. Acelera globalmente la eliminación de sustancias tóxicas ayudando a los órganos depurativos a hacer mejor su trabajo. Neutraliza, entre otros, algunos efectos tóxicos del tabaco. Los fumadores deberían ingerir cantidades de vitamina C más importantes que el resto de la gente porque el simple hecho de fumar implica un mayor consumo de la misma por parte del organismo. La encontramos fundamentalmente en la verdura fresca y en la fruta: kiwis, fresas, cítricos, pimientos, col…

La vitamina E

Ayuda a las células a «respirar» mejor, es decir, facilita el consumo de oxígeno y la evacuación de gas carbónico. Es una vitamina altamente antioxidante que se opone a los efectos devastadores de los radicales libres, responsables del envejecimiento celular. Encontramos vitamina E fácilmente asimilable en los frutos secos y los aceites vegetales crudos.

>>> Los minerales y los oligoelementos

El potasio

Si hay un nutriente implicado en la desintoxicación, ese es el potasio. La eficacia de la eliminación renal depende del equilibrio entre el sodio y el potasio en el cuerpo. Si la cantidad de sodio aumenta, los tejidos retienen agua. Si aumenta la cantidad de potasio, la eliminación renal se acelera. La presencia de potasio en grandes cantidades en algunos alimentos los convierte en diuréticos. Por otra parte, la ingesta de suplementos de potasio es muy delicada, dado que un exceso del mismo puede comportar graves consecuencias. No obstante, no corremos ese riesgo si consumimos el potasio de manera natural a través de los alimentos ricos en este mineral. Aunque abusáramos de dichos alimentos, seguiríamos estando muy por debajo del límite de exceso de potasio admitido por los médicos. El potasio también actúa a nivel cerebral aumentando el aporte de oxígeno al mismo. Ese es un pequeño plus muy interesante. Encontramos potasio en la mayor parte de alimentos, pero los que más cantidades contienen son la fruta y la verdura fresca.

> **EL EMPUJÓN DE LAS PLANTAS**
>
> *Para acelerar la eliminación renal de toxinas también podemos hacer una pequeña cura a base de plantas. El ortosifón (té de Java), por ejemplo, aumenta naturalmente la producción de orina sin perturbar el organismo. Encontramos esta planta en forma de cápsulas. Si preferimos las infusiones, es mejor usar los rabos de cereza.*

¡DEMASIADO INTENSIVO!

La agricultura intensiva ha empobrecido los suelos y les ha arrebatado un determinado número de sustancias que antes penetraban en las verduras plantadas en ese terreno. Y ese es precisamente el caso del selenio. Por esa razón, nuestros alimentos son cada vez más pobres en este mineral.

El selenio

Además de su acción antirradicales (tan importante que actúa sinérgicamente con las vitaminas A, C y E), el selenio posee una propiedad desintoxicante notable. Protege contra los efectos tóxicos de ciertos metales como el cadmio, el mercurio, el plomo o el arsénico... Un buen aporte de selenio es particularmente importante cuando se vive o se trabaja en un medio muy contaminado. Contribuye igualmente a proteger al organismo contra la aparición de algunos cánceres porque ayuda a evacuar células muertas o dañadas. Encontramos selenio en los cereales integrales (pan, arroz...), en el ajo, la cebolla y algunos pescados.

>>> Las proteínas

La metionina

Se trata de un aminoácido esencial, uno de los ladrillos básicos de las proteínas. Esta sustancia actúa como un conserje que veta el paso a ciertos elementos tóxicos, como el plomo o el mercurio, y contribuye a expulsarlos del organismo. Además, la metionina posee virtudes antioxidantes. La encontramos en las proteínas animales, especialmente en los lácteos y el pescado.

La tirosina

Este es otro aminoácido importante. Favorece la eliminación de la mayor parte de sustancias tóxicas. También es un poderoso antiestresante que permite bajar los niveles de tensión nerviosa y aportar a los órganos depurativos la energía que requieren para trabajar eficazmente. Como la metionina, la tirosina se encuentra en los productos de origen animal (carne, pescado y lácteos).

El triptófano

Este aminoácido es transformado por el cerebro en serotonina, un neurotransmisor con virtudes euforizantes y ansiolíticas. Contribuyendo al equilibrio emocional y nervioso, permite limitar la necesidad de consumir sustancias anti-estresantes habituales (tabaco, alcohol, dulces...), productoras de toxinas. Encontramos triptófano sobre todo en los lácteos.

>>> Los lípidos

Las paredes celulares están constituidas en gran parte por lípidos. Por eso las células requieren de un aporte suficiente y regular de materias grasas para conservar la flexibilidad y la permeabilidad. Una dieta pobre en grasas acaba por provocar alteraciones: las paredes celulares se vuelven rígidas, las operaciones metabólicas resultan más difíciles y la comunicación intercelular se detiene. Por lo tanto, debemos consumir cantidades suficientes de materias grasas, incluso en una cura desintoxicante. ¡Pero no todas las grasas son iguales! Las grasas animales (carnes grasas, productos de charcutería, mantequillas o quesos grasos, por ejemplo) contienen muchos ácidos grasos saturados que obstruyen las arterias y que no convienen en absoluto a las células. Por tanto, hay que priorizar los alimentos que contengan ácidos grasos insaturados: pescado y aceites vegetales crudos.

>>> Los glúcidos

Una alimentación desintoxicante debe aportar al cuerpo toda la energía que necesita para funcionar correctamente. El carburante básico del organismo es la glucosa, el azúcar puro. Encontramos glucosa en la alimentación bajo formas muy diversas (azúcar blanco, confituras, pastelería) que nos aportan glucosa rápidamente utilizable por el organismo, dándonos un empujón inmediato que acaba con una bajada del tono. Es mejor priorizar los azúcares complejos: la fructosa contenida en la fruta y los azúcares lentos de los cereales. Estos últimos contienen cadenas de glúcidos que el cuerpo debe romper y transformar antes de asimilarlos. Esta operación requiere de tiempo y nos aporta energía durante un lapso de tiempo más amplio y sin provocar un efecto rebote.

UN SOLO DÍA...

Los naturópatas aconsejan a menudo hacer un día entero de depuración, coincidiendo con el cambio de las estaciones. Para ello, basta con alimentarse a base de un solo alimento durante 24 horas (una fruta o una verdura, preferentemente crudas), bebiendo mucha agua e infusiones, descansando y huyendo de todo estrés.

Los alimentos de sabor dulce no son los únicos que contienen azúcares simples de asimilación ultrarrápida. La alimentación moderna ha transformado la mayor parte de los alimentos en azucarados: harinas blancas, pasta precocida, pan industrial... Estos procedimientos convierten los glúcidos naturales y lentos que contienen de manera natural en azúcares simples rápidamente asimilables, en ocasiones cercanos a la glucosa pura. El organismo recibe así, en cada ingesta, grandes cantidades de azúcar simple que el cuerpo apenas puede gestionar. Y además no nos proporcionan energía a largo plazo. Por esta razón, más vale consumir productos integrales (pan integral, arroz integral, pasta integral...) poco cocidos, porque la cocción acelera la disponibilidad de la glucosa.

>>> Las fibras

Estas sustancias están naturalmente presentes en los productos vegetales, especialmente en la fruta y la verdura fresca. Algunas fibras son asimiladas, pero otras no. Estas últimas permanecen en el tubo digestivo donde atrapan parte de las grasas animales consumidas. Durante su trayecto hacia el intestino, se hinchan de agua que también contiene toxinas. Cuando llegan al intestino, el agua que contienen aporta a las heces una consistencia que favorece su evacuación. Y todas las sustancias que han capturado por el camino (grasas, toxinas...) también se evacuan con ellas.

Ahora ya podemos disponernos a cocinar de manera sana para facilitar el máximo posible el trabajo a los órganos depurativos. No hay que asustarse: tenemos un abanico de sabores y texturas lo suficientemente amplias como para elegir lo que más nos guste, variar los platos y combinar el placer del sabor con la comida sana.

Una de las cosas más importantes será controlar las formas de cocción. Algunos nutrientes son muy frágiles, particularmente las vitaminas y los ácidos grasos esenciales. Las cocciones fuertes y rápidas los arruinan. Durante algunas semanas, evitemos frituras y hornos demasiado altos.

Cocinemos a fuego lento, con pocas materias grasas (usemos aceites vegetales que soporten bien el calor, como el de oliva, el de girasol...) y añadamos aceites vegetales crudos al final de las cocciones, cuyos sabores son deliciosos e incomparables (aceite de nuez, de sésamo, etcétera). Si queremos hacer que los alimentos queden crujientes al horno, dejémoslos sólo unos minutitos en el horno fuerte al principio o al final de la cocción.

Por razones parecidas, vale más evitar cocer las verduras en agua hirviendo si no vamos a tomarnos el líquido de la cocción. Buena parte de las vitaminas y de los minerales son hidrosolubles y se quedan en el agua que no nos vamos a tomar. Si lo que vamos a hacer es una sopa, ningún problema: nos tomaremos la totalidad del líquido con sus vitaminas y minerales. Igual pasa con los estofados, en los que nos lo tomamos todo. Pero si se trata de ingerir verdura sola, lo recomendable es la cocción al vapor, suave (el agua de la parte baja no debe hervir, sino dar pequeños hervores, justo temblar), porque así se preserva todo el valor nutricional de los alimentos.

No olvidemos las hierbas aromáticas y las especias: algunas favorecen especialmente la eliminación de toxinas. Así tendremos entre manos todos los ingredientes necesarios para preparar una cocina sabrosa, alegre ¡y completamente detox!

El TOP 20 de los alimentos desintoxicantes

> > > **LOS ALIMENTOS DESINTOXICANTES**

>>>   ## El TOP 20 de los alimentos desintoxicantes

Para ayudar a nuestro cuerpo a desembarazarse de toxinas, tenemos que priorizar ante todo la fruta y la verdura. El agua que contienen, asociada a ciertas sales
minerales, aumenta la eliminación de deshechos a través
de la orina. Sus fibras aceleran el tránsito y la eliminación intestinal. Pero para que la alimentación sea equilibrada, necesitaremos un aporte de proteínas y glúcidos
lentos. Los encontraremos en el pescado y algunas carnes magras así como en las legumbres y los cereales. Los
aceites crudos y las hierbas aromáticas tienen virtudes
depurativas que pondrán la guinda y el toque de fantasía
a esta cocina especial detox.

LAS JUDÍAS BLANCAS

Virtudes detox

>>> Incluso en los momentos en que queremos depurar nuestro cuerpo de toxinas y de deshechos acumulados tenemos necesidad de energía. Las judías blancas aportan una buena cantidad de glúcidos de absorción lenta que nos ofrecen energía duradera. Participan en la limpieza de las arterias regulando las tasas de colesterol. Sus numerosas fibras mejoran el tránsito intestinal.

Consejos de utilización

>>> Podemos utilizar las judías frescas (ya formadas pero antes de que se sequen) durante su estación de recolección, de septiembre a noviembre, o cocinarlas secas. Las judías secas tienen fama de resultar flatulentas y, por tanto, provocar espasmos intestinales. Ese efecto aparece por la dificultad del organismo para asimilar ciertos glúcidos. Para evitar este molesto inconveniente, debe procederse del siguiente modo:

- Enjuagar las judías y meterlas en una olla con agua y una cucharadita de bicarbonato. Esperar a que arranque a hervir, hervirlas 3 minutos y luego dejarlas reposar en esa agua durante dos horas.
- Volver a enjuagarlas y ponerlas en remojo doce horas.
- Enjuagar de nuevo y cocerlas en una olla alrededor de una hora y media, hasta que queden tiernas.

Podemos servir las judías frías o tibias en ensalada, calientes en estofado o como guarnición para una carne. Con las judías podemos hacer sopas y mezclarlas con otras verduras en menestra.

Asociaciones

>>> Añadir ajo o jengibre atenúa la flatulencia de las judías. Evitemos cocinarlas con mucha materia grasa, porque esa asociación las vuelve indigestas.

Según la edad

>>> Las judías blancas convienen a todas las edades, salvo a los niños muy pequeños cuya alimentación no está aún totalmente diversificada. Como son muy blanditas, están particularmente indicadas para las personas mayores que tienen problemas para masticar ciertos alimentos.

Composición

por cada 100 g de judías cocidas

calorías	120
proteínas vegetales	8 g
lípidos	0,5 g
glúcidos complejos	22 g
agua	63 g
fibras	4,5 mg
calcio	61 mg
hierro	2,5 mg
selenio	0,006 mg
magnesio	43 mg
potasio	359 mg
vitamina C	1,5 mg
vitamina B3	0,5 mg
vitamina B1	0,15 mg
vitamina B9	0,05 mg

LA PASTA INTEGRAL

Virtudes detox

>>> Los glúcidos complejos de la pasta integral abastecen al cuerpo de energía durante horas sin que su asimilación comporte la producción de toxinas. Contiene fibras que contribuyen a la calidad del tránsito. Su vitamina B1 atenúa los efectos negativos del alcohol, en caso de consumo regular. Tomada como cena, la pasta integral favorece la secreción de serotonina, un neurotransmisor cerebral implicado en la calidad del sueño. Y para que la cura detox tenga éxito, recordemos que tan importante es liberarse del estrés como eliminar las toxinas del organismo.

Consejos de utilización

>>> Cuanto más cozamos la pasta, mas rápidamente asimilaremos sus glúcidos complejos, como si fueran rápidos. La pasta debe cocerse siempre *al dente* para disponer de su energía durante más tiempo. La pasta tiene un sabor neutro, lo que permite combinarla con cualquier cosa que se nos pase por la cabeza. Siempre queda bien.

Asociaciones

>>> Para que participe de la cura detox hay que cocinarla con poca materia grasa y preferentemente con aceites vegetales crudos y verduras al vapor o estofadas. También podemos servirla fría en ensalada.
Evitemos mezclar la pasta con zanahorias, remolacha o alcachofas: estas verduras son ricas en azúcares y casan mal con los glúcidos lentos de la pasta.

Según la edad

>>> A los niños suele gustarles la pasta. Debemos complacerlos en este caso porque son un alimento excelente para el crecimiento. Pero evitemos bañarla en cremas y salsas. Lo mejor es mezclarla con verduras al vapor, usando pastas de colores y con formas divertidas. A los adolescentes también les gusta. En la edad en que el gasto de energía es máximo, la pasta es una buena base para una ingesta que no corra el riesgo de desequilibrar el metabolismo. Además, la pasta ayuda a regular las pulsiones que inducen a picar y consumir alimentos excesivamente azucarados.

Composición

por cada 100 g de pasta cocida

calorías	120
proteínas vegetales	4 g
lípidos	1 g
glúcidos	22,5 g
fibras	3 g
agua	70 g
magnesio	40 mg
calcio	12 mg
hierro	1 mg
selenio	0,03 mg
fósforo	89 mg
potasio	44 mg
vitamina B2	1,5 mg
vitamina B3	0,7 mg
vitamina E	0,4 mg
vitamina B1	0, 15 mg
vitamina B9	0,05 mg

LA RAYA

Virtudes detox

>>> La raya es un pescado que aporta una gran cantidad de proteínas completas fácilmente asimilables. Su bajo contenido en materias grasas la convierte en una estupenda fuente de proteínas particularmente indicadas para liberarse de toxinas acumuladas en los tejidos. Su riqueza en nutrientes le permite reconstituir las reservas minerales del organismo. Como es muy digestiva, no requiere de la intervención de muchos órganos para asimilarse, cosa realmente útil cuando nos ponemos a dieta.

Consejos de utilización

>>> La raya suele venderse a tajadas que se conservan poco tiempo. Si la consumimos fresca, hay que ir a una pescadería de confianza y tomarla antes de que pasen veinticuatro horas. Si no, es mejor comprarla congelada. La raya fresca se reconoce por la capa viscosa que recubre su piel. Si está pelada, la carne debe ser rosada. Los trozos de raya deben lavarse cuidadosamente bajo un chorrito de agua corriente para eliminar el olor a amoniaco (olor completamente normal, debido a la secreción de ciertas glándulas). La raya se prepara fácilmente al vapor o blanqueada (entre 10 y 15 minutos). Estos son dos modos de cocción que preservan todos sus nutrientes, tanto vitaminas como minerales. Después puede aliñarse al gusto. Evitemos las mantequillas cuya cocción libera demasiados ácidos grasos. Lo mejor es un aceite crudo, con hierbas aromáticas o con alcaparras. A veces podemos encontrar carrilleras de raya, particularmente tiernas y sabrosas, que se preparan del mismo modo.

Asociaciones

>>> La raya casa bien con todas las verduras, tanto en el plano gustativo como en el nutricional. También puede acompañarse de fruta, que combina su propia dulzura con el fino sabor de este pescado.

Según la edad

>>> Como la raya no tiene espinas es ideal para los niños bien pequeñitos. Su carne se separa fácilmente del cartílago y se funde en la boca sin necesidad de masticarla apenas. Por eso también conviene a las personas mayores.

Composición

por cada 100 g de raya freca

calorías	90
proteínas	20 g
lípidos	0,9 g
glúcidos	0,1 g
agua	79 g
magnesio	24 mg
calcio	20 mg
hierro	1 mg
vitamina B3	2,4 mg
vitamina B2	0,1 mg
potasio	240 mg
fósforo	240 mg
sodio	75 mg

EL LENGUADO

Virtudes detox

>>> Como la raya, el lenguado es un pescado poco graso y de fácil digestión que procura proteínas indispensables sin sobrecargar el organismo. De todas formas, es menos rico en minerales que la raya. Aún así, aporta mucho fósforo y vitaminas del grupo B, que participan en el equilibrio del sistema nervioso y protegen contra los efectos del alcohol.

Consejos de utilización

>>> El lenguado se presta a todo tipo de invenciones culinarias. Aunque la tradición propone comerlo enharinado y frito, también podemos comerlo al vapor o en papillote. Se cuece rápidamente y casa con sabores ácidos (salsas a base de limón, vinagres tibios, etcétera). Para sacar los filetes, basta con retirar el borde gelatinoso y hacer una incisión por encima de la espina central; así se despegan fácilmente. Luego se le da la vuelta al pescado para proceder de igual forma con el otro lomo.

Asociaciones

>>> Este pescado se digiere y asimila tan fácilmente que se puede asociar a cualquier alimento: verduras, féculas, cereales… En el ámbito de una cura detox, deberemos priorizar verduras y frutas.

Según la edad

>>> Los filetes de lenguado limpios no tienen espinas y se pueden dar con total confianza a los niños pequeños. También conviene a las personas con problemas metabólicos, tales como la prediabetes, diabetes o hipercolesterolemia (frecuentes a partir de los 50 años).

Composición

por cada 100 g de lenguado fresco

calorías	117
proteínas	23 g
lípidos	1,5 g
agua	73 g
magnesio	58 mg
calcio	18 mg
hierro	0,5 mg
selenio	0,06 mg
zinc	0,6 mg
fósforo	289 mg
potasio	344 mg
vitamina B3	2,2 mg
vitamina E	0,6 mg
vitamina B6	0,24 mg
vitamina B2	0,20 mg
vitamina B9	0,09 mg

EL QUESO FRESCO Y EL RULO DE QUESO DE CABRA

Virtudes detox

>>> El queso de cabra y el de oveja tienen proteínas de buena calidad que el organismo asimila sin dificultad. Son un alimento interesante cuando queremos desprendernos de los deshechos metabólicos porque los productos animales ricos en proteínas producen, generalmente, toxinas metabólicas durante su proceso de digestión y su asimilación. Los minerales presentes en este tipo de quesos son también fáciles de metabolizar, particularmente el fósforo y el calcio.

Consejos de utilización

>>> Escojamos quesos de buena calidad, preferentemente de producción ecológica. Los podemos mezclar con ensaladas o con platos de pasta integral. Tomados solos, con una rebanada de pan integral o una verdura, constituyen un alimento completo muy adecuado en una cura detox.

Asociaciones

>>> Su asimilación se ralentizará si le asociamos en el curso de la misma ingesta otras proteínas animales (carne, pescado...). Evitemos asociarlos a frutas o verduras ácidas (limón, tomate, fresas, pomelos...) porque la asimilación de los minerales se verá perturbada.

Según la edad

>>> Contrariamente a los productos lácteos provenientes de la leche de vaca, estos quesos no suelen provocar intolerancias ni problemas digestivos. Se pueden consumir a cualquier edad.

Composición

por cada 100 g de queso de cabra

calorías	250
proteínas	18 g
lípidos	19 g
glúcidos	0,9 g
agua	60 g
magnesio	16 mg
calcio	140 mg
hierro	1,9 mg
selenio	0,003 mg
fósforo	256 mg
potasio	26 mg
vitamina A	0,3 mg
vitamina E	0,2 mg
vitamina B6	0,25 mg
vitamina B9	0,012 mg

Estas cifras constituyen una media porque la composición de estos quesos frescos varía en función de la leche escogida y del modo de preparación.

LOS PUERROS

Virtudes detox

>>> El puerro es un verdadero alimento detox. Activa la eliminación renal gracias a su gran contenido en potasio asociado a una débil cantidad de sodio. Esta acción se ve amplificada por la presencia de fructosanos, unos azúcares raros con marcadas virtudes diuréticas que dan a la parte blanca del puerro ese sabor dulce. Esta verdura actúa sobre el tránsito intestinal gracias a sus largas fibras de celulosa, que no se estropean con la cocción. Cuando pasan por el intestino lo barren y limpian de toxinas incrustadas. La parte blanca del puerro contiene pectina, que juega un rol protector sobre las arterias frenando los depósitos de colesterol.

Consejos de utilización

>>> En cocina tradicional, el puerro es un ingrediente indispensable en numerosos platos: sopas, cocidos, ternera en salsa blanca... La fondue de puerros acompaña de maravilla a toda clase de pescados. El puerro tiene un aroma particular, como pasa con sus primos la cebolla y el ajo. Este se debe a una importante presencia de componentes sulfurosos (70 mg/100 g). Si este olor nos resulta molesto, deberemos cocer los puerros destapados durante diez minutos debajo de la campana, el extractor o una ventana abierta. Los componentes sulfurosos son volátiles y se evacuan al mismo tiempo que el vapor de agua. Podemos consumir los puerros al natural, cocidos al vapor o hervidos y aliñados con una salsa fría a base de hierbas aromáticas. También pueden incorporarse a los platos de verduras cocidas, estofados, sopas y purés.

Asociaciones

>>> El puerro se digiere y asimila con facilidad, así que se puede incorporar sin miedo a cualquier receta.

Según la edad

>>> A los niños les molesta el olor del puerro. Para que se los coman hay que cocerlos bien y servirlos fríos: el olor y el sabor del puerro se suavizan con la falta de temperatura. La parte verde es difícil de masticar, así que a las personas mayores y a los niños pequeños sólo les serviremos la parte blanca.

Composición

por cada 100 g de puerros

calorías	32
proteínas vegetales	2 g
glúcidos	4 g
lípidos	0,2 g
agua	89 g
magnesio	11 mg
calcio	31 mg
fibras	3,5 g
sodio	12 mg
fósforo	35 mg
vitamina C	25 mg
potasio	256 mg
hierro	0,9 mg
vitamina C (particularmente en la parte verde)	25 mg
betacarotenos (particularmente en la parte verde)	2 mg
vitamina E	1 mg

EL APIO

Virtudes detox

>>> Gracias a su alto contenido en potasio el apio actúa como diurético: acelera la eliminación de toxinas a través de la orina. Tradicionalmente se usaba para desintoxicar el organismo en caso de padecer gota, reumatismo, artritis e incluso para ayudar en la expectoración durante los procesos catarrales. Recientemente, los investigadores han descubierto que uno de sus componentes principales (el 3-n-butil-ftálico) ejerce una acción reguladora sobre el sistema nervioso y hace bajar la presión arterial.

Consejos de utilización

>>> El apio puede tomarse crudo o cocido. Sus gruesas ramas contienen largas fibras duras que es mejor eliminar antes de consumirlo, ya que pueden irritar el tubo digestivo. Podemos añadir unas ramitas de apio a las sopas, caldos y estofados: su sabor particular realza los platos sosos. Asados acompañan perfectamente a las carnes blancas. Gratinados constituyen un plato completo. Un ramillete de apio fresco, no demasiado verde y bien apretado, se conserva una semana en la nevera. Antes de prepararlo en ensalada o al plato, deben cortarse las hojas y meterse en bolsitas individuales en el congelador: así siempre tendremos hojas para añadir a las sopas. Las semillas de apio también se consumen en infusiones depurativas.

Asociaciones

>>> El apio forma parte del grupo de estrellas invitadas a la sopa de verduras, junto con la zanahoria, el nabo y el puerro. No sólo se digiere fácilmente sino que facilita la digestión de otros alimentos, así que podemos mezclarlo libremente con lo que queramos. Su único límite es su particular sabor, que no siempre casa con cualquier cosa.

Según la edad

>>> En general, a los niños no les hace gracia el sabor del apio. No hay que insistir en introducirlo en la dieta, sino que es mejor dejarlo para el final, cuando el resto de verduras ya estén integradas. Entonces lo iremos añadiendo discretamente en purés y sopas.

Composición

por cada 100 g de apio

calorías	20
proteínas vegetales	0,8 g
glúcidos	3,5 g
lípidos	0,3 g
fibras	1,5 g
agua	92 g
magnesio	11 mg
calcio	41 mg
hierro	0,2 mg
potasio	320 mg
betacarotenos	0,3 mg
vitamina C	8 mg
vitamina E	0,2 mg
vitamina B5	0,25 mg
vitamina B9	0,04 mg

LOS ESPÁRRAGOS

Virtudes detox

>>> La principal virtud detox del espárrago está en su gran contenido en potasio y su bajo contenido en sodio, que hacen de él una verdura diurética. Aumentando el volumen de orina, acelera la eliminación de toxinas metabólicas. Salvo el ácido úrico que contiene, claro, en este caso 50 mg/100g. Se desaconseja por ello a las personas con cistitis crónica porque contiene aspargina, muy irritante para la vejiga. El espárrago ejerce una acción de drenaje sobre el hígado y la piel, dos órganos ampliamente implicados en la eliminación tóxica. Finalmente, sus fibras (pectina, mucílago, celulosa) inciden en el tránsito intestinal.

Consejos de utilización

>>> Los espárragos frescos son más sabrosos, aunque también más firmes. En conserva son más tiernos pero pierden sabor. Soportan bien la congelación. Los espárragos frescos deben ser cuidadosamente pelados para eliminar las fibras sólidas que los envuelven. Pueden tomarse calientes, tibios o fríos, pero la mejor forma de que desprendan todos sus aromas es tibios. Para saber si los espárragos son frescos hay que mirar bien la punta: si esta forma un ramillete bien apretado y el tallo no está blando, es que son frescos. Los espárragos suelen comerse como entrante pero pueden constituir un plato principal o bien acompañar carnes y pescados. Además, se pueden mezclar las puntas con ensaladas de pasta, como hacen los italianos.

Asociaciones

>>> Por regla general pueden asociarse a todo tipo de alimentos, pero su particular sabor puede limitar algunas posibilidades. Podemos mezclarlos especialmente con sabores redondos (pasta, huevos duros…) o realzarlos con un sabor fuerte (limón, pimienta…).

Según la edad

>>> Los adultos con cálculos renales o biliares no deben tomar espárragos porque estos contienen numerosos minerales que, asociados al ácido oxálico y al ácido úrico, favorecen las concreciones minerales.

Composición

por cada 100 g de espárragos

calorías	20
proteínas vegetales	2,2 g
lípidos	0,2 g
glúcidos	3,5 g
agua	92 g
potasio	270 mg
fibras	1,5 g
calcio	20 mg
hierro	1,1 mg
fósforo	70 mg
vitamina C	31 mg
vitamina E	0,8 mg
vitamina B3	1 mg
vitamina B5	0,6 mg
betacarotenos	0,4 mg
vitamina B1	0,20 mg
vitamina B2	0,19 mg

Estas cifras constituyen una media, ya que cada variedad de espárrago posee sus particularidades. Encontramos, por ejemplo, mucha vitamina C en los espárragos violetas y muchas vitaminas del grupo B en los espárragos verdes.

Las alcachofas

Virtudes detox

>>> La alcachofa ejerce una acción de drenaje sobre el hígado y estimula el funcionamiento de la vesícula biliar. Participa, pues, en la limpieza profunda de este órgano que tan importante papel juega en la depuración del organismo. Su riqueza en potasio hace de ella una verdura suavemente diurética.

Consejos de utilización

>>> Debemos sopesar bien la alcachofa antes de comprarla: debe pesar y estar firme, con las hojas bien apretadas, las puntas con el mismo color que el resto y sin partes amarillentas por ninguna parte. Las alcachofas jóvenes pueden consumirse crudas, con una salsa ligera. Pero se ponen mucho más tiernas si las cocinamos, preferentemente al vapor. Cuando son pequeñitas se pueden usar para acompañar platos, y en ese caso, se corta la mitad superior de la alcachofa antes de cocer el resto, sin despegar las hojas. También podemos preparar corazones eliminando las hojas. La fibra de la alcachofa puede ser irritante para los intestinos frágiles y provocar gases y espasmos. Cuando pasa esto, no se debe abusar de su consumo y además podemos añadir ajo o jengibre a la salsa, pues ayudan a eliminar flatulencias. Atención: una vez cocidas las alcachofas no se conservan mucho, máximo veinticuatro horas en la nevera.

Asociaciones

>>> Quien sea muy valiente, puede tomarse una infusión de hojas de alcachofa, auténtica tisana terapéutica, a la vez diurética y colerética (que acelera la producción de bilis), pero es realmente amarga. Se puede suavizar con alguna planta dulce como la melisa o azucarándola.

Según la edad

>>> Podemos enseñar a los niños a comer alcachofas jugando: arrancar las hojitas les divierte, especialmente si los mayores participan. A ver quién las arranca mejor, a ver quién las deja más limpias, a ver quién las coloca mejor en el borde del plato…

Composición

por cada 100 g de alcachofas

calorías	40
glúcidos	7,6 g
proteínas vegetales	2,1 g
lípidos	0,1 g
agua	85 g
fibras	2 g
potasio	385 mg
calcio	47 mg
hierro	1,3 mg
fósforo	95 mg
sodio	43 mg
vitamina C	8 mg
vitamina E	0,2 mg
vitamina B3	0,9 mg
vitamina B5	0,21 mg
vitamina B1	0,14 mg
betacarotenos	0,1 mg

Estas cifras constituyen una media, ya que los valores varían en función de la estación del año y de la variedad. Igualmente, hay variaciones en la cantidad de alcachofa absorbida a partir de una misma flor, según quién se la coma.

LA ACHICORIA

Virtudes detox

>>> La achicoria actúa sobre muchos órganos depurativos: el hígado, los riñones y el intestino… Estimula su funcionamiento acelerando así la eliminación de toxinas. Aumenta el volumen de bilis secretada por el hígado en las horas que siguen a la ingesta y acelera la difusión biliar en el tubo digestivo. Contiene fibras no irritantes (especialmente celulosa) que favorecen el tránsito. Además es diurética y controla el colesterol en sangre. Al mismo tiempo, remineraliza y tonifica porque está bien provista de vitaminas y minerales.

Consejos de utilización

>>> La costumbre es comer la achicoria cruda, en ensalada, y así es como mejor actúa sobre el tránsito intestinal. Pero es posible comerla cocida, como las espinacas, o añadirla a las sopas. En la parte verde de las hojas es donde se concentran las vitaminas y los minerales: no hay que tirar las grandes hojas verdes cuando limpiemos la achicoria. Actualmente se encuentran prácticamente blancas, como si fueran endibias. Se cultivan del mismo modo pero se las entierra para limitar la producción de clorofila, responsable de su color verde natural. Ese tipo de achicoria es más tierna y de sabor más dulce, pero también es mucho más pobre en vitaminas y minerales.

Asociaciones

>>> Evitemos aderezar la achicoria con salsas muy grasas porque esta verdura ya es rica en azúcares (mucho más que otras verduras para ensalada). Es preferible usar salsas a base de yogur o una simple vinagreta.

Según la edad

>>> Su sabor amargo no gusta a los jóvenes de la casa. Contiene muchos antioxidantes naturales, así que se recomienda a las personas mayores de cuarenta años para limitar el envejecimiento celular.

Composición

por cada 100 g de achicoria cruda

calorías	48
glúcidos	6 g
proteínas vegetales	2,7 g
lípidos	0,7 g
agua	85,5 g
fibras	3,5 g
magnesio	36 mg
calcio	165 mg
hierro	3,1 mg
potasio	440 mg
zinc	1,2 mg
fósforo	70 mg
vitamina C	35 mg
betacarotenos	8,4 mg

EL CALABACÍN

Virtudes detox

>>> Su excepcional contenido en agua, asociado a la cantidad de potasio que posee, hace del calabacín una de las verduras más diuréticas que hay. Es muy digestivo gracias a sus fibras solubles. Por eso se recomienda de manera particular en los periodos de limpieza interna del organismo. Contiene mucha pectina, que frena la absorción de azúcares y grasas. Añadir calabacines al menú permite proteger el corazón, las arterias y el páncreas.

Consejos de utilización

>>> Si encontramos calabacines pequeñitos en el mercado (de menos de 10 cm de largo), se pueden cortar a láminas finitas y degustarlos crudos. Son deliciosos. Evitemos los calabacines demasiado grandes: la maduración excesiva provoca una evolución en sus fibras (pierde pectinas a favor del aumento de la celulosa) que los hace menos digestivos y más irritantes para el tubo digestivo. Para hacerlos en ensalada, es mejor cocerlos muy ligeramente al vapor y tomarlos tibios. Para acompañar platos de carne y pescado pueden estofarse junto con otras verduras (pimiento, tomate, berenjena, cebolla...). En las sopas, los calabacines reemplazan dignamente a las patatas porque dan la misma consistencia a un potaje sin aumentar la cantidad de glúcidos. El puré de calabacines es delicioso y se le pueden añadir todo tipo de aromas para variar su sabor de infinitas formas.

Asociaciones

>>> En el plano gustativo y en el dietético podemos inventarnos las combinaciones que queramos con el calabacín. ¡Todo está permitido!

Según la edad

>>> Son convenientes para todas las edades. Es uno de los primeros alimentos que se dan a los niños cuando empiezan a tomar sólidos. Las personas mayores con dificultades para masticar los toleran y digieren estupendamente. También es lo primero que se da a la gente que sale de una intervención quirúrgica en el tubo digestivo.

Composición

por cada 100 g de calabacín crudo

calorías	17
glúcidos	3 g
proteínas vegetales	0,6 g
lípidos	0,1 g
agua	92 g
fibras	1 g
potasio	230 mg
fósforo	31 mg
calcio	19 mg
vitamina C	17 mg
vitamina B3	0,5 mg
vitamina B5	0,15 mg
vitamina B6	0,22 mg
vitamina E	0,12 mg
betacarotenos	0,12 mg

EL PEPINO

Virtudes detox

>>> El pepino es un drenador maravilloso. Su gran contenido en agua junto con la presencia de potasio le confiere una acción diurética muy notable. Contiene vitaminas y minerales en pequeña cantidad, pero muy variados. Su aporte es excepcional si consideramos su estatus calórico: 6 g de nutrientes por cada 100 calorías, mientras que las demás verduras aportan entre 2 y 4 g. Algunos de sus glúcidos refuerzan su acción diurética, concretamente las pentosanas y las hexosanas, poco corrientes.

Consejos de utilización

>>> El pepino se come crudo en ensalada. Se asocia perfectamente al yogur y a los quesos frescos, muy aconsejables también en una cura detox. Está particularmente recomendado en épocas de calor porque es muy refrescante. Si lo unimos al tomate, resultará más refrescante todavía. Algunas personas se quejan de problemas para digerirlo; en ese caso, es mejor rallarlo o cortarlo a daditos y masticarlo muy bien. Los pepinillos son más digeribles que los pepinos grandes.

Asociaciones

>>> Evitemos aderezarlos con materias grasas, sobre todo si cuestan de digerir. Es preferible el yogur, la mayonesa o la crema fresca.

Según la edad

>>> No debemos ofrecérselo a los niños pequeños porque les costaría digerirlo. Hay que esperar a que se acostumbren al resto de verduras crudas antes de introducirlo.

Composición

por cada 100 g de pepino crudo

calorías	10
glúcidos	1,8 g
proteínas vegetales	0,6 g
lípidos	0,1 g
agua	95 g
magnesio	12 mg
fibras	0,9 g
calcio	19 mg
potasio	150 mg
fósforo	23 mg
vitamina C	3 mg
vitamina E	0,12 mg
vitamina B3	0,23 mg
betacarotenos	0,2 mg

LA FRESA

Virtudes detox

>>> La fresa contiene fibras (pectina) que la hacen ligeramente laxante. También es diurética gracias a su contenido en agua y potasio. Su excepcional riqueza en vitamina C la convierte en una fruta muy tonificante. También ejerce una acción depurativa sobre las células del hígado (y en menor medida sobre los riñones) estimulando su funcionamiento.

Consejos de utilización

>>> Para aprovechar todas las virtudes depurativas de las fresas no debemos rebozarlas en azúcar ni bañarlas en nata. Las fresas no se conservan mucho tiempo. Evitemos aquellas que presentan partes amarillentas o blanquecinas: han sido recolectadas antes de llegar a estar maduras. Las fresas deben ser bien rojas, desprender un agradable olor y se han de comer rápidamente. Soportan mal las cocciones, así que se comen crudas. Deben enjuagarse en agua corriente antes de quitarles el rabito para que no se llenen de agua. Nunca hay que dejarlas en remojo.

Asociaciones

>>> Se pueden mezclar con toda clase de frutas en las ensaladas estivales. Pueden ponerse también en las ensaladas de tomate y pepino. Con un poco de jengibre están deliciosas. A los que les gusten mucho las fresas pueden seguir el consejo de los naturópatas: en primavera, se comen únicamente fresas durante dos o tres días, para deshacerse de toxinas invernales. Las fresas tienen un efecto alcalinizante que reequilibra la acidez interior de las personas que toman mucha carne.

Según la edad

>>> A los bebés se les introducen las fresas a partir del año de edad para evitar la aparición de alergias o intolerancias. A partir de ese momento, las fresas son saludables para todo el mundo.

Composición

por cada 100 g de fresas

calorías	35
glúcidos	7 g
proteínas vegetales	0,7 g
lípidos	0,5 g
agua	88 g
fibras	2,1 g
potasio	152 mg
fósforo	23 mg
calcio	20 mg
magnesio	12 mg
hierro	1 mg
vitamina C	60 mg
vitamina B3	0,5 mg
vitamina B5	0,3 mg
vitamina E	0,29 mg

LA UVA

Virtudes detox

>>> La uva es un diurético excelente. Aumenta el volumen de orines y acelera la eliminación de toxinas por vía renal. Este drenador es, sin embargo, altamente energético gracias a los azúcares que contiene. Sus fibras (pectina en la pulpa y celulosa en la piel) mejoran suavemente el tránsito intestinal. Aunque contiene poca vitamina C, ésta es particularmente activa porque contiene pigmentos que doblan su eficacia, sobre todo en el caso de la uva negra. Los taninos de la uva (polifenoles) protegen las paredes de los vasos sanguíneos.

Consejos de utilización

>>> La uva se consume cruda, tal cual, del mismo racimo. Sin embargo, podemos incorporarla a las ensaladas de frutas e incluso a algunos platos salados (con carnes blancas, con algunos pescados...). Antes de consumir la uva con piel, debemos lavarla cuidadosamente para deshacernos de sustancias químicas que hayan podido quedar adheridas a la piel.

Asociaciones

>>> Como en el caso de las fresas, los naturópatas aconsejan hacer curas de uva de vez en cuando, particularmente en otoño, para preparar el organismo antes del invierno. Basta con alimentarse a base de uva exclusivamente durante uno o dos días. La uva ejerce una buena acción alcalinizante en el organismo, participando así de las virtudes depurativas alcalinas.

Según la edad

>>> Cuando demos uvas a los niños pequeños hay que pelarlas y retirar las pepitas para evitar que se atraganten y que se les irriten las paredes intestinales. Esta misma precaución vale para las personas muy mayores con intestinos frágiles.

Composición

por cada 100 g de uva

calorías	72
glúcidos	16 g
proteínas vegetales	0,6 mg
lípidos	0,2 g
agua	81 g
fibras	0,7 g
potasio	250 mg
fósforo	22 mg
calcio	19 mg
magnesio	7 mg
hierro	0,4 mg
vitamina C	4 mg
vitamina B3	0,3 mg
vitamina B6	0,1 mg

Estas cifras son estimativas dado que la composición de la uva depende de la variedad y, sobre todo, del grado de madurez de la fruta.

EL MELÓN

Virtudes detox

>>> Ésta es una fruta muy refrescante, rica en agua y potasio, que ejerce una notable acción diurética y depura los organismos incrustados de toxinas. El melón de color naranja con la piel verde es el tipo más consumido en Francia, mientras que en España se suele tomar el melón blanco. El melón naranja es muy rico en betacarotenos, como se ve en su color. Éste, asociado a la vitamina C, convierte al melón en un estupendo antioxidante. El melón maduro es ligeramente laxante y restablece suavemente el tránsito intestinal.

Consejos de utilización

>>> No deben comprarse nunca melones verdes pensando que ya se pondrán maduros en casa: nunca estarán buenos. Un buen melón tiene que estar en su punto y ser consumido en las veinticuatro horas siguientes a la compra. Debe pesar, desprender un agradable olor a melón y ser dulce y azucarado. La superficie debe ser firme, nunca blanda. No debe meterse en la nevera pues el frío mata el sabor. Y por la misma razón no debe comerse nunca helado. Ligeramente salteado en la sartén, con sal y pimienta, se convierte en una verdura que acompaña de maravilla a carnes blancas, algunos pescados y crustáceos.

Asociaciones

>>> Muy a menudo se asocia el melón al jamón serrano. Es un error porque la digestión simultánea de ambos alimentos juntos se hace lenta y complicada. Lo mejor es tomarlo con otras frutas y verduras como entrante o combinarlo con gambas, por ejemplo. Como postre, puede asociarse a todo tipo de fruta.

Según la edad

>>> Todo el mundo puede tomar melón y beneficiarse de sus virtudes. Su alto contenido en antioxidantes lo convierte en un aliado privilegiado de los mayores de 40 años que quieren protegerse de forma natural del envejecimiento celular.

Composición

por cada 100 g de melón fresco

calorías	46
glúcidos	9 g
proteínas vegetales	1 g
agua	88 g
fibras	1 g
potasio	300 mg
fósforo	17 mg
calcio	14 mg
magnesio	14 mg
vitamina C	25 mg
betacarotenos	2 mg
vitamina B3	0,5 mg
vitamina B9	0,1 mg
vitamina E	0,1 mg

LAS CEREZAS

Virtudes detox

>>> La cereza también es una fruta muy diurética. Gracias a su gran contenido en agua y potasio, acelera la eliminación renal de las toxinas. Cuenta con una amplia gama de nutrientes (vitaminas, minerales, oligoelementos) aunque ninguno está presente en gran cantidad. Dicha riqueza nutricional la convierte en una fruta remineralizante. La vitamina C, particularmente activa en la cereza, se asocia a pigmentos que ejercen una acción protectora para el sistema sanguíneo. Sus fibras solubles mejoran el tránsito sin irritar el intestino. Durante el proceso de asimilación de las cerezas, nuestro organismo produce sustancias alcalinas que corrigen con suavidad la excesiva acidez de la alimentación moderna, demasiado rica en productos animales (carne roja, especialmente).

Consejos de utilización

>>> Las cerezas se consumen usualmente crudas. Hay muchas variedades (burlat, garrafal napoleón, garrafal tigre, ambrunesa, pico negro y pico colorado, mollar de Lérida, garrafal de Lérida, guinda «tomatillo», guinda royale, guinda montmorency): unas son más ácidas, otras más dulces y algunas más firmes y aciduladas. Si notamos gases tras ingerir cerezas es por no haberlas masticado bien; es mejor no beber agua al tiempo que las consumimos. Las cerezas cocidas se digieren mejor que crudas, así que las personas sensibles deberían tomarlas preparadas de algún modo.

Asociaciones

>>> Igual que pasa con las fresas o las uvas, las cerezas sirven para hacer curas veraniegas con el fin de desintoxicar el organismo, según afirman los naturópatas. Basta con consumir exclusivamente cerezas naturales durante un par de días. Si decidi-

mos cocinar las cerezas para acompañar carnes, escojamos una variedad ácida.

Según la edad

>>> Las cerezas no convienen a los niños muy pequeños, que pueden atragantarse con los huesos. Si se les dan antes de los cuatro o cinco años, es mejor deshuesarlas antes de hacerlo. Gracias a sus virtudes drenadoras, se aconsejan a las personas que sufren catarros ligeros, especialmente después de los 40 años.

Composición

por cada 100 g de cerezas

calorías	68
glúcidos	14 g
proteínas vegetales	1 g
agua	81 g
fibras	1,7 g
potasio	250 mg
fósforo	71 mg
calcio	17 mg
magnesio	13 mg
hierro	0,4 mg
vitamina C	15 mg
betacarotenos	0,4 mg
vitamina B3	0,35 mg
vitamina E	0,13 mg

Estas cifras constituyen una media, ya que la composición de la uva varía según las variedades y, sobre todo, según el grado de madurez.

EL LIMÓN

Virtudes detox

>>> Contrariamente a lo que pueda parecer y dado su sabor, el limón es alcalinizante una vez ingerido, tanto en forma de fruta como de zumo. Durante el proceso de digestión, el ácido cítrico que contiene se va oxidando y deriva en carbonatos y bicarbonatos. Es así como el limón combate la acidez de estómago derivada de la metabolización de ciertos alimentos, como por ejemplo la carne roja y las grasas animales. Dicha actividad ayuda a desintoxicar el organismo. El limón contiene sustancias antisépticas útiles para luchar contra las infecciones microbianas, especialmente para las de la boca y la garganta. La vitamina C que contiene se asocia a los flavonoides, que mejoran su acción. Tonifica el sistema digestivo mejorando la asimilación de los alimentos. La tradición medicinal le confiere, además, una notable acción sobre los cálculos (disuelve los uratos y oxalatos) y contra el reumatismo provocado por la acumulación de cristales en las articulaciones (artritis). Además, es ligeramente diurético.

Consejos de utilización

>>> Si preparamos zumo de limón debemos tomarlo de inmediato, ya que sus nutrientes se oxidan rápidamente al contacto con el aire. La piel de limón finamente rallada perfuma platos y postres. En ese caso, conviene controlar que los limones sean ecológicos preferentemente y, en cualquier caso, lavarlos muy bien antes de ingerir la piel. El zumo de limón reemplaza al vinagre en los aliños y vinagretas. En el ámbito de una cura detox, también podemos tomar el zumo de medio limón cada mañana en un vaso de agua templada.

Asociaciones

>>> Evitemos asociar el limón a alimentos con mucho almidón (patatas, cereales…) porque esa combinación irrita los intestinos y provoca flatulencias. Puede, sin embargo, mezclarse con todo tipo de verduras frescas y frutas.

Según la edad

>>> Todo el mundo puede beneficiarse de las virtudes del limón. Pero no conviene abusar de él cuando se está amamantando a un bebé.

Composición

por cada 100 g de limón

calorías	25
glúcidos	2,5 g
proteínas vegetales	0,6 g
lípidos	0,4 g
agua	89 g
fibras (ausentes en zumo)	2 g
ácidos orgánicos	5 g
potasio	153 mg
calcio	25 mg
magnesio	16 mg
sodio	4 mg
hierro	0,5 mg
zinc	0,1 mg
vitamina C	52 mg
vitamina E	0,8 mg
vitamina B3	0,2 mg

Estas cifras constituyen una media porque la composición de la fruta depende de su variedad y de su grado de madurez. El zumo de limón exprimido, de cualquier tipo de limón, se aproxima mucho a estos valores.

La PIÑA

Virtudes detox

>>> La piña es ligeramente laxante gracias a la presencia de suaves fibras solubles. También es ligeramente diurética. Pero su acción más interesante está asegurada por la presencia de numerosas enzimas, especialmente la bromelaína, que separa las cadenas de aminoácidos que constituyen las proteínas. La piña predigiere las proteínas y, por lo tanto, facilita su asimilación. Estimula las secreciones digestivas, lo cual acelera y facilita las digestiones en general.

Consejos de utilización

>>> Escojamos siempre la piña natural porque la piña en conserva está muy azucarada y no contiene bromelaína, esa preciosa enzima que no resiste el calor. Para pelar la piña, empecemos por cortar tajadas a lo largo, sin quitarle la piel. Después cortaremos la parte de abajo, muy dura y acabaremos por separar la piel de cada tajada con un cuchillo (como se hace con el melón). Luego cortamos cada tajada en trocitos que podemos servir sobre el mismo trozo de piel, formando un barco, para hacer un plato individual. La mayor parte de los azúcares de la piña se concentran en la piel. Así que si queremos disminuir el aporte energético de esta fruta, basta con ser muy generoso cortando la piel: llevémonos con el cuchillo unos 5 mm de pulpa. Para escoger la piña en la frutería, hay que comprobar que las hojas estén verdes y que pese en la mano.

Asociaciones

>>> Podemos incorporar la piña natural en cualquier menú con muchas proteínas (carne, huevos, pescado…) porque facilitará su digestión y asimilación. Evitemos asociarla con otras frutas ácidas porque algunos de sus componentes no lo toleran.

Según la edad

>>> Los niños pequeños tienen problemas con la piña a causa de sus duras fibras. Para facilitarles las cosas, sólo debemos ofrecerles la parte más tierna. Se desaconseja a las personas que sufren de acidez estomacal.

Composición

por cada 100 g de piña natural

calorías	52
glúcidos	12 g
proteínas vegetales	0,5 g
lipidos	0,2 g
ácidos orgánicos	0,9 g
agua	84,8 g
fibras	1,4 g
potasio	150 mg
fósforo	11 mg
magnesio	10 mg
hierro	0,4 mg
vitamina C	18 mg
betacarotenos	0,13 mg
vitamina E	0,1 mg

Estas cifras son orientativas, ya que la composición de la piña depende del grado de madurez.

LAS CIRUELAS PASAS

Virtudes detox

>>> La ciruela es laxante. Es su principal virtud. Debe esta acción a sus numerosas fibras, entre las cuales destacan la celulosa y la pectina, que aumentan el volumen de las heces y aceleran su tránsito. La ciruela pasa contiene sorbitol, un azúcar que actúa sobre la vesícula biliar y sobre el tránsito. Además, contiene un derivado de la familia de los indoles, la difenilisatina, que posee un efecto directamente laxante. La riqueza en vitaminas y minerales de la ciruela se encuentra reconcentrada en la ciruela pasa. Y para mayor gloria, es una excelente fuente de hierro y betacarotenos.

Consejos de utilización

>>> Las ciruelas pasas se conservan mucho tiempo. No debemos dudar en comprarlas de la mejor calidad, si es posible ecológicas. Podemos picotear las ciruelas tal cual o ponerlas en remojo para incorporarlas a los guisos o postres. Casan bien con las carnes blancas, especialmente con el conejo. En el ámbito de los postres, podemos asociarla a la naranja porque ésta realza su dulzura natural.

Asociaciones

>>> Cuando se tienen problemas con el tránsito intestinal, podemos asociar la ciruela a otros alimentos ricos en fibras como los higos o las manzanas. Su efecto se verá reforzado de este modo.

Según la edad

>>> No hay que dar ciruelas pasas a los niños pequeños, sobre todo si padecen cierta pereza intestinal, porque irritaría esa zona. Por la misma razón se desaconseja a personas mayores con intestinos frágiles. Son muy convenientes para las mujeres (más propensas que los hombres al estreñimiento crónico) particularmente después de los 50 años.

Composición

por cada 100 g de ciruelas pasas

calorías	290
proteínas vegetales	2,3 g
lípidos	0,4 g
glúcidos	66,8 g
agua	24 g
fibras	4,5 g
potasio	950 mg
calcio	45 mg
magnesio	45 mg
hierro	2,9 mg
vitamina C	3 mg
betacarotenos	2 mg

El pomelo rosa

Virtudes detox

>>> Esta fruta es rica en agua y ligeramente diurética. Facilita y acelera la eliminación de toxinas por vía renal. Actúa directamente sobre la vesícula biliar y el hígado, cuya actividad estimula. También estimula secreciones digestivas diversas, mejorando globalmente todo el proceso y la asimilación de nutrientes. Aunque resulta ácido, el pomelo rosa transforma sus ácidos en sustancias alcalinizantes durante la digestión. Ayuda a evitar el exceso de acidez del medio interno de las personas que comen mucha carne. Sus suaves fibras tienen una acción ligeramente laxante. Contiene una buena dosis de vitamina C, lo que la convierte en una fruta tonificante.

Consejos de utilización

>>> La piel del pomelo está cargada de sustancias químicas, así que hay que evitar ingerirla salvo que sea de cultivo ecológico. Para limpiar el organismo en profundidad se puede hacer una cura de pomelo: durante tres semanas debe tomarse medio pomelo natural por la mañana, en ayunas. Si queremos añadir pomelo a una ensalada, ya sea azucarada o salada, no debemos olvidar retirar la piel blanquecina que lo recubre: es muy correosa e impide saborear la fruta.

Asociaciones

>>> El pomelo es un entrante ideal cuando el menú va cargado de proteínas (por su efecto alcalinizante) o con muchas materias grasas (por su efecto digestivo). Como no es muy azucarado, casa bien con entrantes salados, especialmente con las gambas.

Según la edad

>>> Su sabor amargo no hace gracia a los niños. Deberemos esperar a que se hagan mayorcitos para ofrecérselo. Aunque contiene pocos betacarotenos, el pomelo encierra las tres vitaminas antioxidantes principales. Así, se aconseja particularmente a personas de más de 40 años que quieren protegerse de forma natural contra los efectos del envejecimiento celular.

Composición

por cada 100 g de pomelo rosa

calorías	42
glúcidos	9,5 g
proteínas vegetales	0,6 g
lípidos	0,15 g
agua	87 g
fibras	1,5 g
potasio	190 mg
calcio	23 mg
fósforo	17 mg
magnesio	10 mg
vitamina C	43 mg
betacarotenos	0,01 mg
vitamina E	0,2 mg

>>> # Alimentos desintoxicantes complementarios

Existen otros alimentos compatibles con la desintoxicación del organismo. Echemos mano de esta lista complementaria para variar nuestros menús o integrar elementos adicionales en nuestras recetas.

>>> ## Los cereales y las féculas

El arroz integral

Es un cereal fácil de digerir que aporta energía duradera así como nutrientes importantes (minerales y vitaminas del grupo B) sin que su asimilación genere muchas toxinas.

>>> ## Las fuentes de proteínas

Las gambas

Estos sabrosos crustáceos contienen pocos lípidos y pocos glúcidos. Aportan proteínas de buena calidad, calcio, magnesio, hierro, zinc… Son un buen alimento detox a condición de no freírlas ni enterrarlas en mayonesa. No es bueno chupar las cabezas porque contienen mucho colesterol.

La merluza

Es un pescado magro (1,5 g de lípidos /100 g) con la carne firme, que se cocina fácilmente y que casa con numerosos sabores. Es una buena fuente de calcio y de magnesio, presentes en proporciones muy equilibradas.

Los huevos

Las proteínas de los huevos son de excelente calidad. Si no comemos muchos ni demasiado a menudo y, sobre todo, si no los freímos (mejor huevos al plato, tortillas…), los huevos tienen un sitio en nuestra cura detox.

El tomate

Esta fruta que consumimos como si fuera una verdura contiene mucha agua. Ligeramente diurética, aporta vitaminas y minerales. El tomate es un ingrediente indispensable en la cocina porque puede integrarse en numerosos platos y se puede tomar tanto crudo como cocinado.

El rábano

El rábano negro es un tubérculo alargado (de 20 a 40 cm) cuya piel oscura esconde una pulpa blanca. Tiene un sabor parecido al del rábano rojo, pero mucho más concentrado y picante. Es un gran depurativo del organismo, particularmente del hígado. Este rábano puede integrarse en las ensaladas. Los rábanos rojos tienen un sabor más suave pero su acción depurativa es menos poderosa. Aún así, reemplazan dignamente a los cacahuetes de un aperitivo.

La remolacha

Esta verdura, que compramos ya cocida, contiene nutrientes (folatos, fibras) que contribuyen a la limpieza de las arterias y al buen estado del sistema cardiovascular. No debemos abusar de ella en las ensaladas porque tienen mucho azúcar.

Las judías verdes

Es una verdura poco calórica, llena de agua y cargada de nutrientes esenciales: vitamina C, betacarotenos, vitaminas del grupo B, magnesio, calcio, oligoelementos... Su principal interés reside, en el ámbito de una cura detox, en la sensación de saciedad que procuran.

Los higos frescos

Ésta es una fruta sabrosa, muy rica en azúcar y minerales, cuyas fibras resultan laxantes. Tomados en cantidades razonables (no mucho más de dos), los higos aceleran el tránsito y mejoran la eliminación de toxinas. Como son ricos en minerales, participan en la recarga del organismo.

Las nueces

Es su riqueza en ácidos grasos esenciales lo que las convierte en un alimento interesante. Incluso cuando queremos limpiarnos de toxinas, el organismo necesita aportes de ácidos grasos indispensables para asegurar la permeabilidad de las paredes celulares y mejorar así el intercambio metabólico. Existen muchas variedades de nueces (anacardos, nueces de Macadamia...). Todas ellas aportan minerales, vitamina E y vitaminas del grupo B.

El mango

Es una fruta rica en vitaminas antioxidantes que protegen el organismo contra el nefasto efecto de los radicales libres. Durante los períodos de «limpieza» interna del cuerpo, una recarga vitamínica de este tipo contribuye al mantenimiento del tono.

La naranja

Es refrescante, digestiva, ligeramente laxante y diurética. La naranja purifica los órganos de eliminación, especialmente la piel. Contiene, además, buenas cantidades de vitaminas y minerales.

40 RECETAS DESINTOXICANTES

Legumbres y pastas

Postres

calabacines   puerro   rama de apio

Cocido verde primaveral

Ingredientes para 4 personas

*2 calabacines · 400 g de judías verdes · 1 puerro · 1 rama de apio
1 cebolla · 3 dientes de ajo · 1 ramito de cilantro · 1 yogur desnatado batido
2 cucharadas soperas de aceite de girasol
sal y pimienta*

Preparación

1/ Pela la cebolla y los ajos y córtalo todo en juliana. Enjuaga todas las verduras. Quítales las puntas a las judías verdes. Pela los calabacines alternando una parte sí y una no y córtalos en trozos de unos 3 cm. Limpia el puerro sin eliminar del todo las hojas verdes y después córtalo en rodajas. Corta las ramas de apio en juliana.

2/ En una olla pon a calentar a fuego muy lento el aceite y deja rehogar el ajo 1 minuto. Añade las cebollas, salpimienta, remueve y deja cocer 2 minutos. Agrega a continuación los puerros, remueve, tapa y deja 2 minutos más. Añade el apio, los calabacines y las judías verdes. Remueve, tapa y deja cocer 2 minutos.

3/ Cubre con agua las tres cuartas partes y deja hervir a fuego lento 40 minutos.

4/ Tritura la sopa hasta que esté suave. Si es necesario, rectifica de sal y pimienta.

5/ Enjuaga las hojas de cilantro y córtalas toscamente. Reserva algunas hojas para decorar.

6/ En un bol, pon el yogur, añade un cucharón pequeño de sopa y remueve hasta que la mezcla sea homogénea. Añade otro cucharón y repite la operación. Agrega el cilantro cortado, remueve y vierte el contenido del bol en la sopa. Remueve para que se mezcle todo bien y sirve inmediatamente.

Consejo

Si utilizas calabacines de cultivo biológico los puedes cocinar sin pelar, sobre todo si son jóvenes y tiernos. Puedes variar el sabor de esta sopa según la estación utilizando otras verduras: espinacas, berros, lechuga…

EFECTO DETOX
He aquí una sopa que realmente drena. El apio y el calabacín son diuréticos. El puerro drena el intestino. El ajo y la cebolla limpian y protegen las arterias. Las judías verdes y los calabacines dan consistencia gracias a sus fibras, que contribuyen a una buena digestión, al igual que el cilantro.

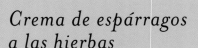

Crema de espárragos a las hierbas

Ingredientes para 4 personas

1 kg de espárragos verdes · 2 calabacines · 8 ramas de perifollo · 4 ramas de perejil
2 yogures desnatados batidos · 1 pizca de nuez moscada
sal y pimienta

Preparación

1/ Limpia los espárragos y elimina la extremidad dura y fibrosa. Lava las puntas y corta el resto en trozos.

2/ Pela los calabacines y córtalos a trozos.

3/ Lleva a ebullición en una cacerola un litro de agua moderadamente salada. Añade las puntas de espárrago, baja el fuego y deja cocer unos 5 minutos. Sin apartar del fuego, retira las puntas de espárrago con una espumadera y resérvalas sobre papel absorbente.

4/ En el agua todavía a punto de hervir, pon el resto de los espárragos y de los calabacines, añade pimienta y la nuez moscada. Tapa tres cuartos de abertura de la olla y deja cocer 30 minutos.

5/ Pasa la sopa por la batidora hasta que esté bien suave. Si es necesario, rectifica de sal y pimienta.

6/ Enjuaga las hojas de perifollo y de perejil, escúrrelas y córtalas muy finas.

7/ En un bol bate los yogures, añade las hierbas y un cucharón de la sopa. Bate con un tenedor hasta que la mezcla sea bien homogénea.

8/ Calienta de nuevo la crema unos minutos más y luego, fuera del fuego, viértele el yogur con las hierbas y añade las puntas de espárrago. Sirve inmediatamente.

Consejo

Esta crema es muy sabrosa. Los calabacines reemplazan muy bien a las patatas o a la fécula para darle consistencia. Puedes servirla en platos individuales con picatostes de pan integral tostado.

EFECTO DETOX
Los espárragos son muy diuréticos. Asociados a los calabacines ayudan a que el organismo se deshaga de los residuos. El perejil aporta la vitamina C y los dos yogures un poco de proteínas. El perifollo, también ligeramente diurético, acelera aún más la eliminación renal de toxinas.

MI COCINA **DESINTOXICANTE**

Sopa fría de calabacín al queso fresco

Ingredientes para 4 personas

*1 kg de calabacines • 1 cebolla • 200 g de rulo de queso de cabra muy blando
8 hojas de menta fresca • 1 cucharada sopera de aceite de girasol
sal y pimienta*

Preparación

1/ Enjuaga los calabacines, quítales los dos extremos y después pélalos alternando una parte sí y una no. Córtalos en trozos de unos 3 cm.

2/ Pela la cebolla y córtala en juliana.

3/ En una olla pon a calentar el aceite a fuego muy lento. Pon la cebolla, salpimienta y deja cocer 1 minuto.

4/ Añade los calabacines y deja cocer 3 minutos.

5/ Vierte el agua: debe cubrir las verduras más o menos 1 cm. Deja cocer 30 minutos.

6/ Durante este tiempo, pon el rulo de cabra en un cazo, agrégale pimienta y trabájalo con un tenedor para dejarlo lo más ligero posible.

7/ Tritura la sopa hasta que esté bien suave. Si es necesario, rectifica de sal y pimienta.

8/ Añade el rulo de cabra y mezcla con ayuda de un batidor para que el queso se disuelva completamente. Pon la sopa en la nevera al menos una hora.

9/ En el momento de servir, enjuaga las hojas de menta, córtalas y espárcelas por encima de la sopa.

Consejo

Si utilizas calabacines de cultivo biológico los puedes cocer con la piel. Puedes también preparar esta sopa con cilantro, cebollino, estragón o albahaca. El gusto insípido del calabacín marida con todos estos sabores y cada uno posee unas virtudes particulares.

EFECTO DETOX

Esta sopa se digiere aún mejor que la anterior. Es muy diurética y refrescante. El queso fresco la enriquece con sus proteínas fácilmente asimilables.

Ensalada de gambas con pepino y melocotón

Ingredientes para 4 personas

1 pepino mediano • 2 melocotones blancos (o 4 pequeños)
1 bol grande de gambas cocidas •10 ramas de cilantro
4 cucharadas soperas de sésamo • 1 cucharada sopera de vinagre de sidra a la miel
½ cucharadita de vinagre balsámico de Módena
sal y pimienta

Preparación

1/ Pela el pepino y córtalo en dos a lo largo. Quítale las semillas y después córtalo en rodajas no muy finas. Disponlo en un colador, sálalo ligeramente y déjalo reposar.

2/ Pela los melocotones, quítales el hueso y córtalos a dados. Ponlos en una ensaladera y déjalos reposar.

3/ Pela las gambas, quítales toda la cabeza y reserva las colas enteras. Añádelas a la ensaladera.

4/ En un bol prepara la vinagreta mezclando el aceite de sésamo, el vinagre de sidra y el vinagre balsámico. Sala ligeramente y añade pimienta.

5/ Lava el cilantro, quita las hojas y córtalas finas. Añádelas a la vinagreta.

6/ Pon las rodajas de pepino en la ensaladera, mezcla y después vierte la vinagreta. Si es necesario, rectifica de sal y pimienta. Reserva en la nevera hasta el momento de servir.

Consejo

No prepares esta ensalada con demasiada antelación, pues los melocotones y los pepinos se deshidratarán demasiado y perderán su consistencia. Elige melocotones bastante firmes, aunque no verdes. Esta ensalada puede también prepararse con melocotones verdes, pero así es un poco menos sabrosa.

EFECTO DETOX

El pepino es muy diurético. Las gambas aportan proteínas prácticamente desprovistas de materias grasas siempre y cuando les quites la cabeza completamente, pues es ahí donde se encuentra el colesterol. El cilantro facilita la digestión.

melón

limón

Ensalada de melón y calabacines crudos al rulo de queso de cabra

calabacines

queso de cabra

Ingredientes para 4 personas

1 melón no demasiado maduro • 2 calabacines medianos
150 g de rulo de cabra • 1 ramo pequeño de cebollino
1 cucharada sopera de zumo de limón • 4 cucharadas soperas de aceite de nuez
1 cucharada sopera de vinagre de vino aromatizado a la nuez
sal y pimienta

Preparación

1/ Enjuaga los calabacines, quítales las puntas y después saca con ayuda de un pelador las tiras de piel a lo largo.

2/ Dispón estas tiras en un plato, sala ligeramente y añade el zumo de limón. Deja reposar.

3/ Durante este tiempo, corta el melón en dos a lo ancho. Vacíalo y después córtalo en rodajas de unos 2 cm de espesor. Retírale la piel y córtalo en cubos regulares. Resérvalos.

4/ En una ensaladera prepara la vinagreta mezclando el aceite, el vinagre, la sal y la pimienta. Añade el rulo de cabra desmigajado o cortado a cubos, según su consistencia, y después los cubos de melón.

   Escurre los calabacines, añádelos a la ensalada y remueve. Si es necesario, rectifica de sal y pimienta.

5/ Corta el ramo de cebollino, previamente enjuagado y repártelo por encima de la ensalada antes de servir.

Consejo

No sirvas esta ensalada demasiado fría, pues el frío atenúa el sabor del melón. Elige preferiblemente calabacines de cultivo biológico para poder utilizar su piel sin riesgo.

EFECTO DETOX

El melón es diurético y drena. El calabacín crudo conserva sus vitaminas y sus minerales. El rulo de cabra aporta proteínas buenas sin hacer pesada la digestión.

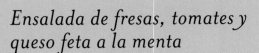

Ensalada de fresas, tomates y queso feta a la menta

Ingredientes para 4 personas

*400 g de fresas maduras • 4 tomates medianos (o 2 grandes) • 150 g de queso feta
6 hojas de menta fresca • 4 cucharadas soperas de aceite de soja
½ cucharadita de salsa de soja • 1 cucharada sopera de vinagre de Jerez
½ cucharadita de jengibre en polvo • sal y pimienta*

Preparación

1/ Enjuaga las fresas bajo agua corriente, escúrrelas, quítales los rabos y córtalas en cuatro trozos. Resérvalas en una ensaladera.

2/ Enjuaga los tomates, córtalos en dos, retírales las semillas y después córtalos en trozos pequeños. Añádelos a las fresas.

3/ Escurre el queso feta y córtalo en cubos. Añádelos a la mezcla de fresas y tomates. Salpimienta.

4/ En un bol, prepara la vinagreta mezclando el aceite, el vinagre, la salsa de soja y el jengibre. Viértela en la ensaladera. Si es necesario, rectifica de sal y pimienta.

5/ Saca las hojas de menta, enjuágalas y córtalas toscamente.

6/ Espárcelas por encima de la ensalada y sírvela fría.

Consejo

Elige fresas y tomates bastante maduros, bien rojos pero firmes, para que la ensalada tenga una buena consistencia al paladar. La menta se oxida rápidamente cuando ha sido cortada. Si preparas esta ensalada con antelación, consérvala en la nevera y añade las hojas en el último momento para que suelten todo su perfume.

EFECTO DETOX

Las fresas son un gran depurador y limpian el hígado en profundidad. Los tomates, cargados de agua, son diuréticos y ayudan a la eliminación de las toxinas corporales. La menta, digestiva y estimulante, permite asimilar más fácilmente los nutrientes contenidos en los otros ingredientes.

Ensalada de apio con boquerones a las especias

Ingredientes para 4 personas

200 g de boquerones • 1 rama de apio • el zumo de 1 limón
4 cucharadas soperas de aceite de oliva • 1 cucharada sopera de vinagre de vino
2 cucharaditas de pimentón dulce • ¼ de cucharadita de jengibre en polvo
1 pizca de pimienta de Cayena • sal y pimienta

Preparación

1/ Enjuaga los filetes de boquerón bajo agua corriente, ponlos sobre papel absorbente, después colócalos en un plato, añádeles pimienta y báñalos con el zumo de limón. Déjalos reposar al menos una hora.

2/ Retira las ramas exteriores grandes del tallo del apio y conserva sólo las interiores, pálidas y tiernas. Enjuágalas bajo el agua corriente. Quítales los filamentos que puedan tener a los lados y después corta los tallos a trozos muy finos y las hojas más jóvenes a tiras. Pon los tallos y las hojas así cortados en una ensaladera.

3/ Prepara la vinagreta poniendo en un bol las especias, la sal y la pimienta y después el vinagre. Remueve hasta que la mezcla sea homogénea. Añade el aceite en chorrito muy fino sin dejar de remover.

4/ Añade la vinagreta al apio, remueve y, si es necesario, rectifica de sal y pimienta. Deja reposar en la nevera al menos 15 minutos para que la vinagreta impregne bien las verduras.

5/ En el momento de servir pon por encima los filetes de boquerón formando una estrella.

Consejo

Cuando limpies la rama de apio, conserva las ramas grandes muy verdes que no vas a utilizar para la ensalada. Límpialas y colócalas individualmente en pequeñas bolsas para congelar. Una vez congeladas, se conservan mucho más. Puedes utilizarlas inmediatamente sin necesidad de descongelarlas para perfumar tus sopas de verduras o tus platos estofados.

EFECTO DETOX

El apio es muy diurético. Esta ensalada es particularmente indicada para las personas que sufren de dolores en las articulaciones, pues el apio tiene fama de limpiar las toxinas que obstruyen las mismas. Los boquerones, asociados al aceite de oliva, aportan los ácidos grasos esenciales y algunas proteínas.

Ensalada de apio con ciruelas pasas y nueces

Ingredientes para 4 personas

1 rama de apio • 1 docena de ciruelas pasas • el zumo de 1 naranja
1 puñadito de nueces • 1 cucharadita de salsa de soja
4 cucharadas soperas de aceite de cártamo (que se encuentra en las tiendas de productos dietéticos)
1 cucharada sopera de vinagre de sidra a la miel • sal y pimienta

Preparación

1/ Exprime la naranja y vierte el zumo en un bol. Quítales el hueso a las ciruelas, córtalas a trozos y ponlas a remojar en el zumo de naranja.

2/ Retira las ramas exteriores grandes del apio y conserva sólo las interiores, pálidas y tiernas. Enjuágalas bajo el chorro de agua. Quítales los filamentos que puedan tener a los lados y después corta los tallos a trozos muy finos y las hojas más jóvenes a tiras. Pon los tallos y las hojas así cortados en una ensaladera.

3/ En un bol prepara la vinagreta mezclando el aceite, el vinagre y la salsa de soja. Salpimienta. Remueve bien para que quede homogénea.

4/ Escurre las ciruelas y conserva 2 cucharadas soperas del zumo de naranja para añadirlas a la vinagreta. Remueve de nuevo.

5/ Agrega los trozos de ciruelas a la ensaladera, vierte la vinagreta y mezcla. Si es necesario, rectifica de sal y pimienta. Conserva en la nevera.

6/ En el momento de servir esparce las nueces picadas por encima.

Consejo

Si te gustan los sabores más ácidos, puedes remojar las ciruelas en zumo de naranja mezclado con un poco de zumo de limón. Esta ensalada es más sabrosa si la preparas por adelantado (entre 30 minutos y una hora), pues así los sabores habrán tenido tiempo de mezclarse bien.

EFECTO DETOX

A la acción diurética del apio se une la acción laxante de las ciruelas. Esta simple ensalada acelera, de este modo y a la vez, la eliminación renal e intestinal. El zumo de naranja aporta sus vitaminas y las nueces sus ácidos grasos esenciales, que contribuyen al cuidado de las paredes celulares.

achicoria

Ensalada de achicoria y huevos escalfados

Ingredientes para 4 personas

600 g de achicoria • 4 huevos • 4 rebanadas de pan integral
4 cucharadas soperas de aceite de nuez • 1 cucharada sopera de vinagre de vino aromatizado al higo
1 pizca de pimentón dulce • sal y pimienta

Preparación

1/ Tuesta las rebanadas de pan en la tostadora o en el horno.

2/ Calienta en una cacerola agua sin sal y añade una cucharada sopera de vinagre de alcohol.

3/ Lava la achicoria bajo el chorro de agua corriente. Escúrrela y ponla en una ensaladera.

4/ Prepara la vinagreta mezclando el aceite, el vinagre, la sal y la pimienta y añádela a la achicoria. Mezcla bien y si es necesario rectifica de sal y pimienta.

5/ Cuando el agua hierva, rompe los huevos de uno en uno con mucho cuidado para que la yema no se rompa y la clara quede pegada alrededor de la misma. Déjalos cocer 3 minutos.

6/ Durante este tiempo, pon las rebanadas de pan tostado sobre la achicoria.

7/ Retira los huevos cocidos ayudándote de una espumadera y ponlos sobre las rebanadas de pan. Espolvorea cada yema con una pizca de pimentón dulce y sirve inmediatamente.

Consejo

No retires las hojas exteriores de la achicoria, pues son las más ricas en nutrientes. Quita simplemente las partes blancas y grandes, ya que son demasiado duras. Si aprecias los sabores picantes, puedes sustituir el pimentón dulce por picante o por una punta de pimienta de Cayena.

EFECTO DETOX

La achicoria es la campeona de la limpieza hepática. No se encuentra todo el año, pero cuando aparezca, aprovéchala. Los huevos escalfados se digieren bien en general. Asociados a las rebanadas de pan integral y a la achicoria, hacen de esta ensalada un plato completo.

MI COCINA **DESINTOXICANTE**

Ensalada de remolacha con rábanos negros y rabanitos

Ingredientes para 4 personas

2 remolachas cocidas • 1 manojo de rabanitos
1 trozo de rábano negro de unos 10 a 12 cm • 6 ramas de perejil
1 yogur desnatado • 1 cucharadita de salsa de soja • 1 cucharada sopera de aceite de cártamo
1 cucharada sopera de vinagre balsámico de Módena
sal y pimienta

Preparación

1/ Pela las remolachas y después córtalas en pequeños dados de 1 cm aproximadamente.

2/ Limpia los rabanitos y después córtalos en trozos de 1 cm más o menos.

3/ Limpia el trozo de rábano negro, pélalo y córtalo en pequeños dados. Pon todas las verduras en una ensaladera y mezcla.

4/ En un bol prepara la vinagreta mezclando el vinagre, la salsa de soja, la sal y la pimienta. Remueve bien y después añade el aceite en chorrito fino. Para terminar, añade el yogur y bate bien para que la vinagreta quede bien homogénea.

5/ Mézclala con las verduras, remueve y rectifica de sal y pimienta si es necesario.

6/ Deja reposar en la nevera 15 minutos por lo menos a fin de que las verduras se impregnen bien de la vinagreta, que habrá tomado un bonito tono rosa.

7/ Durante este tiempo, lava las hojas de perejil y córtalas cuidadosamente. Esparce el perejil por encima de la ensalada en el momento de servir.

Consejo

Asegúrate de cortar el rábano negro en dados muy pequeños, pues su sabor es fuerte y picante. Los daditos atenúan su gusto, que así marida mejor con la dulzura de la remolacha. Reserva cuatro rabanitos pequeños con sus hojitas para decorar.

Efecto detox
Los minerales contenidos en la remolacha participan en la limpieza de las arterias. Los rabanitos son depurativos, sobre todo los negros, que eliminan las toxinas del hígado. El yogur aporta algunas proteínas animales fácilmente asimilables pues carecen de materias grasas. El perejil le aporta un poco de vitamina C a este plato, que no tiene mucha.

Raya marinada a las hierbas y alcaparras

Ingredientes para 4 personas

1 kg de raya cortada en 4 trozos • 1 tarro pequeño de alcaparras • 2 dientes de ajo
1 manojo de hierbas frescas • 1 ramo pequeño de perejil • 1 ramo pequeño de albahaca
4 cucharadas soperas de aceite de oliva • 3 cucharadas soperas de vinagre de sidra
3 cucharadas soperas de agua fría • 1 pizca de pimienta de Cayena
sal y pimienta

Preparación

1/   Lava cuidadosamente los trozos de raya y ponlos en la cesta perforada de la vaporera. Llena el recipiente del agua, sala y pon el manojo de hierbas frescas. Cuando el agua empiece a hervir, pon la cesta con la raya. Regula la temperatura de manera que el agua produzca bastante vapor (sin hervir muy fuerte) y deja cocer 20 minutos.

2/   Durante este tiempo, enjuaga y corta las hojas de perejil y de albahaca en un bol grande.

3/   Pela y aplasta los dientes de ajo. Añádeles las hierbas cortadas. Salpimienta.

4/   Vierte sobre esta mezcla el aceite de oliva y el vinagre de sidra. Remueve y añade 2 cucharadas soperas de agua fría.

5/   Escurre ligeramente las alcaparras y viértelas en el bol con un poco de su vinagre. Añade la pimienta de Cayena. Mezcla bien todos los ingredientes.

6/   Dispón los trozos de raya sobre un papel absorbente y quítales la piel. Disponlos en un plato hondo grande (sin montar los trozos unos sobre otros) y viértele por encima el contenido del bol: el pescado debe quedar bañado por la marinada sin que ésta llegue a cubrirlo.

7/   Deja reposar en la nevera durante al menos una hora dándole la vuelta al pescado de vez en cuando para que se impregne por ambos lados. Sirve frío acompañado de verduras al vapor.

Consejo

Si no encuentras hierbas frescas, puedes utilizar hierbas congeladas. Puedes inventarte otras mezclas aromáticas utilizando eneldo, estragón, cilantro… Para darle aún más aroma, puedes trabajarlas en el mortero, con la sal y el ajo, antes de añadir los otros ingredientes de la marinada.

EFECTO DETOX

Las hierbas aromáticas utilizadas aquí en gran cantidad actúan como verdaderas plantas medicinales digestivas y drenadoras. Las proteínas de la raya se asimilan así aún mejor.

raya

espárragos

limón

Raya con puntas de espárragos

Ingredientes para 4 personas

1 kg de raya cortada en 4 trozos • 500 g de espárragos verdes
1 manojo de hierbas frescas • 125 g de requesón bajo en grasa • el zumo de 1 limón
1 cucharada sopera de aceite de oliva • 1 cucharada sopera de aceite de girasol
sal y pimienta

Preparación

1/ Lava cuidadosamente los trozos de raya.

2/ Pon a calentar agua con sal con el manojo de hierbas frescas en una vaporera. Cuando arranque a hervir coloca el recipiente perforado en ella con los trozos de raya. Cuece al vapor con el agua hirviendo 20 minutos.

3/ Limpia los espárragos y elimina el extremo duro y fibroso. Reserva las puntas y corta el resto a trozos.

4/ Pon a calentar agua con sal en una cacerola. Cuando hierva pon las puntas de espárrago y deja cocer 5 minutos.

5/ Escúrrelas y resérvalas calientes.

6/ En una olla pon a calentar el aceite de girasol a fuego lento. Añade los trozos de espárrago. Salpimienta. Remueve y deja cocer 3 minutos. Agrega dos vasos de agua tibia, tapa y deja cocer 10 minutos más.

7/ Pasa los trozos de espárrago por la batidora con los líquidos de cocción para que sea lo más fluido posible. Añade el zumo de limón, el aceite de oliva y el yogur. Remueve con un batidor para ligarlo bien todo. Si es necesario, rectifica de sal y pimienta.

8/ Pon los trozos de raya cocidos sobre papel absorbente, quítales la piel y después repártelos en los platos. Baña cada trozo de raya con la salsa anterior y decora con las puntas de espárrago.

9/ Sirve inmediatamente con pasta integral *al dente* o con un poco de arroz integral.

Consejo

Si utilizas raya congelada es inútil descongelarla antes de ponerla a cocer. Simplemente tienes que adaptar el tiempo de cocción siguiendo los consejos del paquete.

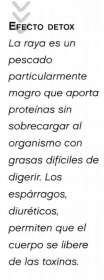

EFECTO DETOX
La raya es un pescado particularmente magro que aporta proteínas sin sobrecargar al organismo con grasas difíciles de digerir. Los espárragos, diuréticos, permiten que el cuerpo se libere de las toxinas.

Filete de lenguado a la crema de aguacate

Ingredientes para 4 personas

4 filetes de lenguado • 2 aguacates bien maduros • 1 yogur desnatado el zumo de 1 limón • 1 ramo pequeño de perifollo sal y pimienta

Preparación

1/ Pela los aguacates, quítales el hueso y córtalos a dados. Salpimienta y baña con el zumo de limón.

2/ Pasa esta mezcla por la batidora. Cuando el puré esté bien fino añade el yogur poco a poco y remueve para obtener una crema. Si es necesario, rectifica de sal y pimienta.

3/ Pon este puré de aguacate en un plato colocado sobre una cacerola con agua apenas hirviendo para que se entibie ligeramente pero sin que llegue a cocer.

4/ Enjuaga las hojas de perifollo y córtalas toscamente.

5/ Pon los filetes de lenguado en una cacerola con agua fría con sal y caliéntalos sin tapar a fuego alto. Cuando el agua hierva, saca los filetes y ponlos sobre papel absorbente.

6/ Coloca los filetes en un plato, báñalos con la crema de aguacate y decóralos con el perifollo cortado. Sirve inmediatamente acompañado de arroz integral al azafrán.

Consejo

Este plato se prepara en el último momento. Si quieres preparar la crema de aguacate con antelación, cúbrela inmediatamente con un film alimentario para que no se oxide al contacto con el aire y consérvala a temperatura ambiente. Ponla a entibiar justo antes de poner a cocer los filetes de lenguado.

EFECTO DETOX

El aguacate no forma parte de las verduras de desintoxicación ya que contiene muchos lípidos. Pero estas grasas están constituidas por ácidos grasos esenciales de excelente calidad. El lenguado es un pescado muy magro y de muy buena digestión, por lo que la asociación de estos dos alimentos ofrece un aporte equilibrado e indispensable de proteínas y lípidos. El perifollo, diurético, contribuye a una buena eliminación de las toxinas.

Rollos de lenguado con uvas

lenguado   uvas blancas   limón

Ingredientes para 4 personas

4 filetes de lenguado • 1 kg de uvas blancas • 2 cebollas rojas
el zumo de 1 limón • 2 cucharadas soperas de aceite de girasol • 1 cucharada sopera de aceite de sésamo
1 cucharadita de granos de sésamo • ¼ de cucharadita de canela en polvo
¼ de cucharadita de jengibre en polvo • sal y pimienta

Preparación

1/ Pela las cebollas y córtalas a dados. Pela las uvas, quítales las pepitas y escúrrelas en un colador para conservar el zumo.

2/ Pon los filetes de lenguado en un plato, salpimiéntalos y báñalos con el zumo de limón.

3/ En una olla, pon a calentar 1 cucharada de aceite de girasol a fuego lento. Añade los dados de cebolla, salpimienta y después vierte la mitad del jengibre y de la canela. Deja cocer 5 minutos removiendo de tanto en tanto.

4/ Cuando las cebollas estén transparentes, retira un tercio. Deja cocer el resto a fuego lento y tapado. Vigila la cocción: si las cebollas comienzan a pegarse al fondo de la olla, añade 1 cucharada sopera de agua fría.

5/ Pon a calentar en una sartén la otra cucharada de aceite de girasol a fuego lento. Incorpora las cebollas que habías retirado de la olla y el resto de las especias. Remueve y deja cocer 3 minutos. Añade los granos de uva. Remueve delicadamente, baja el fuego, cubre y deja cocer 3 minutos más.

6/ Enrolla los filetes de lenguado dejando un centro de unos 3 ó 4 cm de diámetro. Ata cada uno con un cordel alimentario. Ponlos en una cacerola, cubre de agua fría y pon a cocer a fuego alto. Cuando el agua hierva, retira los filetes de lenguado y escúrrelos.

7/ Dispón los rollos de lenguado en un plato grande.

8/ Rellena el centro de cada uno con las cebollas cocidas. Vierte en un bol el zumo de las uvas y el zumo de limón en el que habías marinado el pescado. Añádele el aceite de sésamo y los granos de sésamo.

9/ Dispón los granos de uva cocidos alrededor del lenguado y báñalo todo con el zumo de uva con sésamo. Sirve inmediatamente.

Consejo

Elige uvas de grano grande y bien firme a fin de que no se deshagan demasiado durante la cocción. La variedad de uva Italia es la que mejor conviene a este plato. Puedes añadir una pizca de pimienta de Cayena a las cebollas cocidas.

Efecto detox
La uva es un drenador renal muy eficaz. Tiene también un efecto ligeramente laxante. Asociada a las cebollas rojas permite una buena eliminación de las toxinas. El lenguado aporta proteínas y sales minerales.

Gambas con mango

Ingredientes para 4 personas

16 gambas grandes crudas • 2 mangos • el zumo de 1 limón
1 ramo pequeño de cilantro • 2 cucharadas soperas de aceite de girasol
¼ de cucharadita de jengibre en polvo
sal y pimienta

Preparación

1/ Corta la cabeza de las gambas sin pelar la cola.

2/ Pela los mangos, quítales el hueso y córtalos a dados pequeños.

3/ Pon a calentar en una sartén a fuego alto 1 cucharada sopera de aceite de girasol, después baja el fuego y pon las gambas. Salpimienta y deja cocer sin tapar 3 minutos. Después dales la vuelta y déjalas 3 minutos más por el otro lado.

4/ Durante este tiempo pon a calentar a fuego lento la otra cucharada de aceite de girasol en una segunda sartén. Cuando esté caliente pon los dados de mango. Salpimienta. Añade el polvo de jengibre. Déjalos cocer 1 minuto, después remueve y déjalos cocer 2 minutos removiendo con frecuencia.

5/ Enjuaga las hojas de cilantro y córtalas toscamente. Añade el zumo de limón.

6/ Dispón en un plato las gambas cocidas y báñalas con el zumo de limón con cilantro. Después distribuye alrededor el mango pasado por la sartén.

7/ Sirve inmediatamente con un puré de apionabo.

Consejo

Es difícil encontrar gambas frescas. Las que puedes conseguir en la pescadería son, generalmente, descongeladas. Si compras gambas congeladas, descongélalas antes de preparar este plato.

Puedes presentar este plato alternando, en vasitos, una capa de puré de apionabo, una capa de dados de mango y terminar con las gambas encima.

EFECTO DETOX

Las gambas aportan proteínas muy digeribles y fácilmente asimilables. Los mangos son ricos en vitaminas. El cilantro facilita la digestión y la asimilación de los nutrientes contenidos en este plato y aporta igualmente un efecto diurético, aumentado por el apionabo.

Papillotes de lenguado a la vainilla y jengibre

Ingredientes para 4 personas

4 filetes de lenguado • el zumo de media naranja • el zumo de medio limón
1 vaina de vainilla • 1 trozo pequeño de jengibre • 4 estrellas de anís
1 cucharadita de aceite de cártamo o en su defecto de aceite de nuez o de avellana
sal y pimienta

Preparación

1/ Precalienta el horno a 180 °C (termostato 6).

2/ Prepara las papillotes cortando cuatro trozos de papel de aluminio o similar de unos 20 cm. Corta luego cuatro trozos de papel vegetal, un poco más pequeños, que pondrás sobre el papel de aluminio.

3/ Pon el filete de lenguado en el centro de cada papillote. Salpimienta.

4/ Corta la vaina de vainilla en cuatro trozos idénticos y después hazles una incisión a lo largo. Abre los bordes y ponlos sobre los trozos de pescado con los granos de vainilla en contacto con la carne. Pon al lado una estrella de anís.

5/ Pela el trozo de jengibre y rállalo sobre los trozos de pescado.

6/ Exprime los cítricos y reparte el zumo entre las papillotes.

7/ Cierra bien el borde de papel vegetal y después, por encima, haz lo mismo con el de aluminio.

8/ Métalo en el horno durante 10 minutos más o menos, en función del tamaño de los trozos de los filetes.

9/ Sirve caliente en la papillote acompañado de judías blancas al natural o de puré de calabacín.

Consejo

El papel de aluminio no debe jamás estar en contacto con los alimentos, pues se corre el riesgo de que, durante la cocción, sus partículas, muy contaminantes, entren en contacto sobre todo con las sustancias ácidas. La función del papel de aluminio es solamente la de asegurar que la papillote quede bien cerrada.

EFECTO DETOX

El lenguado cocido de esta manera conserva sus vitaminas y minerales. El jengibre y la vainilla son tonificantes y el anís estrellado facilita la digestión. Los zumos de naranja y de limón aportan vitaminas. Esta asociación hace que el pescado sea particularmente digerible y asegura un buen aporte proteínico sin producir toxinas.

Medallones de lenguado con perifollo salteado

Ingredientes para 4 personas

4 lonchas de lenguado • 500 g de perifollo • 2 dientes de ajo • 1 limón
1 cucharada sopera de harina integral • 3 cucharadas soperas de aceite de girasol
sal y pimienta

Preparación

1/ Limpia el perifollo sin eliminar las hojas verdes. Enjuágalo bajo el chorro de agua corriente, escúrrelo y después córtalo en trozos de 3 a 4 cm.

2/ Pela los dientes de ajo y córtalos en láminas finas.
En una olla, pon a calentar 1 cucharada de aceite de girasol a fuego medio. Añade el ajo, remueve y deja cocer 1 minuto. Agrega el perifollo, remueve, salpimienta y tapa. Baja el fuego y deja hacer a fuego lento 15 minutos vigilando de vez en cuando.

3/ Mientras tanto pon a calentar agua con sal en la parte baja de una vaporera. Cuando hierva, pon el recipiente perforado con las lonchas de lenguado. Déjalo cocer con el agua hirviendo de 6 a 8 minutos (según el tamaño de las lonchas), dándoles la vuelta con cuidado con una espumadera a mitad de cocción.

4/ Pon las lonchas de lenguado en un plato. Enharínalas ligeramente por ambos lados.

5/ Pon a calentar 2 cucharadas de aceite de girasol en una sartén a fuego fuerte. Pon las lonchas de lenguado enharinadas y ásalas 1 minuto por cada lado.

6/ Pon las lonchas de lenguado en una hoja de papel absorbente para quitarles el exceso de aceite y después ponlas en un plato con el perifollo salteado alrededor. Decóralas con cuartos de limón.

Consejo

El perifollo no debe cocerse demasiado a fin de mantener una consistencia ligeramente crujiente. Si durante la cocción no suelta suficiente agua, agrégale 1 cucharada sopera de ésta. Si suelta demasiada, continúa la cocción sin tapar el tiempo que sea necesario para que el exceso de líquido se evapore. Al final, tiene que estar ligeramente húmedo sin nadar en sus jugos.

EFECTO DETOX

El interés de este plato reside sobre todo en el perifollo, que conserva sus virtudes depurativas incluso después de ser cocido. El ajo contribuye al cuidado de las arterias. El lenguado, pescado magro, aporta proteínas. Al cocinarlo al vapor antes de asarlo en la sartén, evitas que se cargue de ácidos grasos desnaturalizados por el calor de la cocción.

MI COCINA **DESINTOXICANTE**

Raviolis a la crema de puerros

Ingredientes para 4 personas

500 g de raviolis frescos de requesón • 500 g de puerros
1 yogur desnatado batido • 2 cucharadas soperas de aceite de girasol
1 cucharada sopera de aceite de sésamo • 1 pizca de nuez moscada
sal y pimienta

Preparación

1/ Enjuaga bien los puerros sin eliminar la totalidad de las hojas verdes. Córtalos en rodajas muy finas.

2/ Pon a calentar a fuego medio el aceite de girasol en una sartén grande y después pon los puerros. Salpimienta y añade la nuez moscada. Remueve bien. Deja cocer 3 minutos. Después añade un vaso pequeño de agua, remueve, baja el fuego y deja cocer medio tapado 30 minutos.

3/ Cuando los puerros estén cocidos, pon a calentar agua con sal en una olla grande. Cuando hierva, echa los raviolis, remuévelos y déjalos cocer 5 minutos más o menos (respeta el tiempo de cocción indicado en el paquete).

4/ Durante este tiempo, vierte la crema de puerros en un plato hondo.

5/ En un bol, mezcla el yogur y el aceite de sésamo. Bate bien para que la mezcla sea homogénea y después añádela a los puerros. Mezcla.

6/ Cuando los raviolis estén cocidos, escúrrelos un poco y viértelos en el plato. Remueve y sirve inmediatamente.

Consejo

Los puerros no se deben ni dorar ni pegar. Vigila regularmente su cocción y agrega si es necesario una cucharada de agua de vez en cuando si ves que se están secando demasiado.

EFECTO DETOX
Las fibras de los puerros son un potente purificante intestinal. Los raviolis de requesón aportan las proteínas y los glúcidos indispensables para el organismo sin producir demasiados residuos en el cuerpo.

Paquetitos de rulo de queso de cabra con higos

Ingredientes para 4 personas

4 higos naturales • 200 g de rulo de cabra • 1 huevo
4 hojas de pasta brik • algunas briznas de cebollino • 1 cucharada sopera de aceite de oliva
sal y pimienta

Preparación

1/ Precalienta el horno a 200 °C (termostato 6-7). Enjuaga los higos bajo el chorro de agua corriente, quítales el rabo y córtalos en juliana.

2/ En un cazo mezcla el rulo de cabra, el huevo y el cebollino cortado fino.

3/ Extiende una hoja de pasta brik y pon en el centro un poco del higo cortado en juliana. Salpimienta. Pon por encima 2 cucharadas soperas del rulo de cabra sazonado. Cierra la hoja de manera que forme un paquetito, que mantendrás cerrado con un palillo.
Haz lo mismo con las otras hojas de pasta brik.

4/ Pon una hoja de papel vegetal en una bandeja de horno y coloca los paquetitos.

5/ Vierte aceite de oliva en un bol pequeño y pinta con un pincel los paquetitos con él. Lleva al horno 5 minutos. Los paquetitos deben quedar dorados y crujientes.

6/ Sírvelos muy calientes acompañados de una ensalada de perifollo.

Consejo

Si no encuentras higos naturales puedes utilizar congelados. En este caso, descongélalos primero y déjalos escurrir. Ponlos sobre papel absorbente antes de ponerlos sobre la pasta brik a fin de que ésta no se ablande durante la cocción.

EFECTO DETOX
Los higos tienen una acción naturalmente laxante, que acelera el tránsito y facilita la eliminación intestinal de los residuos del cuerpo. El cebollino posee también una acción regulatoria para el intestino. El rulo de cabra aporta las proteínas que completan este plato.

Corazones de alcachofa rellenos de queso fresco

Ingredientes para 4 personas

8 alcachofas pequeñas • 200 g de queso de oveja o de cabra fresco
1 huevo • 8 ramitas de perejil • 2 cucharadas soperas de pan rallado
1 cucharada sopera de aceite de oliva
sal y pimienta

Preparación

1/ Corta los tallos de las alcachofas, retira las hojas exteriores, demasiado fibrosas, y después corta las hojas unos 3 cm por encima del corazón. Quítales la pelusa.

2/ Pon a calentar agua con sal en una cacerola grande. Cuando hierva, pon las alcachofas y déjalas cocer 30 minutos.

3/ Precalienta el horno a 200 °C (termostato 6-7).

4/ Durante este tiempo, prepara el relleno mezclando en una ensaladera pequeña el queso de oveja, el huevo, la sal, la pimienta, las hojas de perejil cortadas y el aceite de oliva. Trabaja bien la mezcla para que quede ligera.

5/ Cuando las alcachofas estén cocidas (deben estar todavía un poco firmes), sácalas y escúrrelas bien sobre una hoja de papel absorbente.

6/ En una bandeja para horno pon los corazones de alcachofas y rellénalos con la mezcla de queso. Espolvorea un poco de pan rallado por encima y llévalos al horno 5 minutos; después enciende el gratinador y déjalas dorar 3 minutos más.

7/ Sírvelas muy calientes acompañadas con una ensalada de pepino.

Consejo

Puedes también cocinar los corazones de alcachofa al vapor antes de hornearlos. Conservan mejor sus nutrientes, pero el tiempo de cocción es un poco mayor. Si no puedes encontrar queso de oveja fresco, puedes sustituirlo por queso de cabra también fresco.

EFECTO DETOX

La alcachofa es una gran depuradora del hígado. El rulo de cabra y el huevo aportan proteínas buenas, fáciles de digerir y de asimilar. El perejil aporta un poco de vitamina C, tonificante.

Legumbre.

Pepinos rellenos de rulo de cabra a la menta

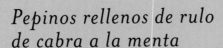

Ingredientes para 4 personas

1 pepino grande • 150 g de rulo de cabra
10 hojas de menta • ¼ de cucharadita de jengibre en polvo
1 cucharada sopera de aceite de oliva • ¼ de cucharadita de comino
1 pizca de pimienta de Cayena
sal y pimienta

Preparación

1/ Pela el pepino y córtalo en cuatro trozos. Con la ayuda de una cuchara, retira las semillas y ahuécalo ligeramente de manera que quede un espacio para introducir el relleno.

2/ En un bol grande, mezcla el rulo de cabra y el aceite de oliva. Salpimienta y añade las especias.

3/ Corta finas las hojas de menta. Añádelas al rulo de cabra y trabaja bien la mezcla para que sea lo más fina posible.

4/ Rellena los pepinos con esta mezcla y consérvalos en la nevera hasta el momento de servir.

Consejo

No prepares este plato con demasiada antelación para que los pepinos no se reblandezcan y suelten su agua. Puedes acompañar este plato de algunas hojas de ruca o de brotes.

EFECTO DETOX

El pepino es muy rico en agua y en potasio. Es muy diurético. Este entrante es muy refrescante y ayuda a eliminar las toxinas. Aporta también proteínas buenas con el queso fresco y ácidos buenos gracias al aceite de oliva.

Pasta a la albahaca y al tomate natural

Ingredientes para 4 personas

250 g de espaguetis integrales • 4 tomates naturales (o 2 grandes)
2 dientes de ajo • 2 cucharadas soperas de queso parmesano rallado • 1 ramito de albahaca
3 cucharadas de aceite de oliva
sal y pimienta

Preparación

1/ Pon a calentar agua con sal en una marmita grande. Cuando hierva, echa la pasta y remueve para que no se pegue. Déjala cocer 10 minutos más o menos (respeta el tiempo de cocción indicado en el paquete).

2/ Durante este tiempo, lava los tomates, córtalos en dos, retírales las semillas y córtalos en dados pequeños. Resérvalos.

3/ Pela los dientes de ajo, córtalos en dos a lo largo y quítales la parte central. Pásalos por la prensa de ajos y colócalos en una plato hondo. Añade el aceite de oliva y salpimienta. Mezcla.

4/ Aclara con agua las hojas de albahaca y córtalas en juliana. Añádelas al plato, así como los dados de tomate. Remueve.

5/ Cuando la pasta esté lista, escúrrela un poco y pásala al plato. Remueve bien y sirve inmediatamente acompañada de un poco de parmesano rallado.

Consejo

Cuece la pasta al dente *a fin de que sus glúcidos no sean tan fácilmente asimilables y le den al organismo una energía duradera.*

EFECTO DETOX
Los tomates, diuréticos, ayudan a la eliminación de las toxinas. El ajo y el aceite de oliva contribuyen a la limpieza de las arterias. La albahaca mejora la asimilación de los nutrientes.

Pasta con puntas de espárragos y parmesano

Ingredientes para 4 personas

250 g de tallarines integrales • 800 g de espárragos finos
80 g de parmesano entero
4 cucharadas soperas de aceite de oliva
sal y pimienta

Preparación

1/ Limpia los espárragos, quítales el extremo fibroso y deja la parte tierna. Retira las puntas y corta el resto en trozos.

2/ Pon a calentar agua con sal en una cacerola. Cuando hierva, echa las puntas de espárrago. Déjalas cocer 5 minutos y después resérvalas en un plato caliente.

3/ En el agua de cocción de las puntas de los espárragos pon los trozos restantes y cuécelos a fuego medio, sin tapar, 15 minutos.

4/ Pon a calentar agua con sal en una marmita grande. Cuando hierva, echa la pasta y remueve para que no se pegue. Déjala cocer 10 minutos más o menos (respeta el tiempo de cocción indicado en el paquete).

5/ Cuando los trozos de espárrago estén cocidos, escúrrelos y pásalos por la batidora con 1 cucharada sopera de aceite de oliva. Salpimienta y después vierte en un plato hondo.

6/ Cuando la pasta esté cocida *al dente*, escúrrela un poco y añádela al plato con el resto del aceite de oliva. Mezcla con cuidado para impregnar bien la pasta. Si es necesario, rectifica de sal y pimienta.

7/ Pon las puntas de espárrago por encima de la pasta y espolvorea virutas de parmesano que habrás cortado con la ayuda de un pelador.

Consejo

Las puntas de espárrago deben cocerse poco tiempo, pues deben estar ligeramente crujientes. El resto de los espárragos, por el contrario, deben estar bien cocidos para producir una especie de crema cuando los pases por la batidora.

EFECTO DETOX

Los espárragos, muy diuréticos, aceleran la eliminación renal de las toxinas. La pasta da energía sin producir residuos en el cuerpo. El parmesano aporta algunas proteínas suplementarias que contienen los aminoácidos de los que carecen las proteínas vegetales de la pasta.

Tallarines con calabacín

pasta integral · calabacines · limón

Ingredientes para 4 personas

250 g de tallarines integrales · 3 calabacines medianos · 2 dientes de ajo
el zumo de 1 limón · 2 cucharadas soperas de parmesano rallado · 1 ramo pequeño de albahaca
4 cucharadas soperas de aceite de oliva
sal y pimienta

Preparación

1/ Enjuaga los calabacines, quítales los extremos y pélalos alternando una parte sí y una no. Córtalos en rodajas finas.

2/ Pon las rodajas de calabacín en un plato hondo y báñalas con el zumo de limón. Déjalas reposar.

3/ Pon a calentar agua con sal en una olla grande. Cuando hierva, echa la pasta y remueve para que no se pegue. Déjala cocer 10 minutos más o menos (respeta el tiempo de cocción indicado en el paquete).

4/ Durante este tiempo, pela los dientes de ajo, córtalos en dos a lo largo y quítales la parte central. Córtalos en juliana.

5/ En una sartén, pon a calentar 2 cucharadas soperas de aceite de oliva y añade el ajo en juliana. Remueve. Añade las rodajas de calabacín escurridas, salpimienta y deja cocer 2 minutos removiendo delicadamente.

6/ Lava las hojas de albahaca y córtalas finas. Añádelas a los calabacines. Cuando la pasta esté cocida, escúrrela un poco y ponla en un plato.

7/ Vierte el resto del aceite de oliva, remueve y después añade los calabacines sazonados. Mezcla bien y sirve inmediatamente acompañado de un poco de parmesano rallado.

Consejo

Escurre bien los calabacines antes de cocerlos para eliminar lo que quede de zumo de limón. Macerados así reducirás el tiempo de cocción para que queden crujientes. Puedes reemplazar la albahaca por cilantro.

Efecto DETOX

Los calabacines son diuréticos, sus fibras mejoran el tránsito como si nada y la pectina atrapa el exceso de grasas. Un trío de efectos que hacen que este plato sea drenador y nutritivo a la vez, pues los glúcidos lentos de la pasta dan una energía duradera y la albahaca mejora la digestión y la asimilación de los nutrientes.

Judías blancas con puerro a la melisa

Ingredientes para 4 personas

1 kg de judías blancas frescas • 500 g de puerros • 1 cebolla
2 puñados grandes de hojas de melisa • 5 estrellas de anís
3 cucharadas soperas de aceite de girasol
sal y pimienta

Preparación

1/ Cuece las judías. Ponlas en una olla, cúbrelas de agua fría sin sal con las estrellas de anís y déjalas cocer 15 minutos.

2/ Durante este tiempo, pon a calentar medio litro de agua. Cuando hierva, baja el fuego y añade las hojas de melisa. Tapa y deja en infusión.

3/ Limpia cuidadosamente los puerros y conserva la parte blanca y sólo un cuarto de las hojas verdes. Córtalos en juliana.

4/ Pela la cebolla y córtala en juliana.

5/ Pon a calentar el aceite en una olla a fuego medio, añade las cebollas, remueve, deja cocer 2 minutos, agrega los puerros, remueve, baja el fuego, tapa y deja cocer a fuego lento 15 minutos.

6/ Escurre las judías, retira las estrellas de anís y añade las primeras a la olla.

7/ Cuela la infusión de melisa y viértela sobre las judías. El líquido debe solamente cubrirlas. Si la infusión no es suficiente, añade un poco de agua. Remueve, tapa y deja cocer 30 minutos a fuego lento.

8/ Salpimienta, remueve y tapa de nuevo para dejar cocer aún 30 minutos más.

9/ Sírvelas calientes acompañadas de carne blanca o de pescado.

Consejo

En el momento de servir puedes esparcir por encima 3 cucharadas soperas de toronjil cortado, una hierba que marida bien con el sabor de la melisa.

EFECTO DETOX

Las judías aportan fibras que mejoran la digestión y la asimilación de los glúcidos. Se suman a las de los puerros, que drenan el intestino. La melisa y el anís, digestivos y tranquilizantes, aportan una pequeña nota relajante. Esta receta, que contribuye a la limpieza general del organismo, tanto física como mentalmente, es un excelente antiestrés.

Judías blancas con tomate

Ingredientes para 4 personas

1 kg de judías blancas frescas • 3 tomates • 1 cebolla grande • 3 dientes de ajo
1 manojo de hierbas frescas • 2 cucharadas soperas de pan rallado
2 cucharadas soperas de aceite de oliva
sal y pimienta

Preparación

1/ Cuece las judías. Ponlas en una olla, cúbrelas de agua fría sin sal con el manojo de hierbas frescas y cuécelas 15 minutos a fuego medio (el agua no debe hervir).

2/ Escalda los tomates en agua hirviendo y después enfríalos en agua fría. Quítales la piel y las semillas. Córtalos en trozos grandes.

3/ Pela los dientes de ajo y la cebolla y córtalos en juliana. Pon a calentar aceite de oliva en una olla a fuego medio. Pon el ajo, remueve, déjalo cocer 1 minuto y después añade la cebolla. Remueve, baja el fuego, tapa y deja cocer 5 minutos. Añade los trozos de tomate.

4/ Escurre las judías, retira el manojo de hierbas frescas y añade las primeras a la olla. Cúbrelas con agua. Tapa y déjalas cocer 30 minutos a fuego lento.

5/ Retira la tapadera, salpimienta, remueve, después tápalas de nuevo y déjalas cocer 30 minutos más.

6/ Precalienta el horno a 180 °C (termostato 6).

7/ Vierte el contenido de la olla en una fuente de barro apta para el horno. Espolvorea con el pan rallado y lleva al horno.

8/ Retira la fuente cuando el pan rallado empiece a formar una costra sobre las judías. Sirve inmediatamente.

Consejo

Si utilizas judías secas, déjalas ablandar en agua desde la víspera. Cocínalas primero en agua sin sal durante una hora y media en lugar de 15 minutos. Después procede de la misma manera que con las judías frescas.

EFECTO DETOX

Este plato aporta mucha energía. Además, las fibras de las judías tienen una acción depurativa del tubo digestivo. Ajo, cebolla y tomate ayudan en esta acción desintoxicante.

Corazones de apio a la naranja

Ingredientes para 4 personas

*2 apios • el zumo de 2 naranjas • 1 trozo pequeño de jengibre fresco
2 cucharadas soperas de aceite de girasol
sal y pimienta*

Preparación

1/ Limpia los apios. Retira las ramas grandes verdes y deja sólo los corazones bien tiernos. Enjuágalos y córtalos a unos 15 cm de la base. Después corta los corazones en cuatro a lo largo.

2/ Pon el aceite a calentar a fuego medio en una sartén grande. Añade los corazones de apio y déjalos asar 3 minutos por cada lado.

3/ Pela el trozo de jengibre y rállalo. Añádelo a los corazones de apio, salpimienta y baña con el zumo de naranja.

4/ Baja el fuego, tapa y deja hacer a fuego lento 40 minutos.

5/ Destapa, rectifica de sal y pimienta si es necesario y después deja cocer 10 minutos más sin tapar a fin de que el líquido se evapore. Vigila bien la cocción: los corazones de apio deben caramelizarse en el zumo de naranja, pero no se tienen que pegar al fondo de la sartén.

6/ Sírvelos calientes acompañando a una carne blanca o a un pescado.

Consejo

No tires lo que te quede del apio al cortarlo. Congela las ramas grandes a fin de utilizarlas para tus sopas o estofados. Añade la parte alta de las ramas tiernas y de las hojas jóvenes a una ensalada de tomate.

EFECTO DETOX
El apio es una de las verduras más diuréticas que hay. Actúa, además, sobre el sistema nervioso, al que tranquiliza y relaja. El zumo de naranja aporta vitaminas, de las cuales algunas no resisten el calor, razón por la que hay que cocinar este plato a fuego lento.

Verduras del sol al anís

Ingredientes para 4 personas

6 calabacines • 4 tomates • 1 pimiento verde • 2 cebollas • 3 dientes de ajo
4 estrellas de anís • 2 cucharadas soperas de aceite de oliva
sal y pimienta

Preparación

1/ Enjuaga las verduras. Retírale el tallo al pimiento, quítale las semillas y córtalo a tiras. Pela las cebollas y córtalas a tiras no muy finas. Pela los dientes de ajo y córtalos en juliana. Pela los calabacines alternando una parte sí y una no y córtalos en dos a lo largo, retira las semillas del centro y córtalos a tiras no muy finas.

2/ Pon a calentar el aceite a fuego lento en una olla. Pon el ajo en juliana, remueve y deja cocer 1 minuto. Después añade la cebolla y el pimiento, remueve, salpimienta, agrega las estrellas de anís enteras y cocina sin tapar 3 minutos removiendo de vez en cuando. Añade los calabacines, remueve, tapa y deja cocer 5 minutos más.

3/ Durante este tiempo, escalda los tomates en agua hirviendo y después enfríalos con agua fría. Quítales la piel y las semillas y córtalos a trozos.

4/ Añade los tomates a la preparación, remueve, tapa, baja el fuego y deja hacer a fuego lento 45 minutos. Si es necesario, rectifica de sal y pimienta.

5/ Cuando las verduras estén cocidas, retira las estrellas de anís y sirve frío o caliente acompañando a una carne, un pescado o un plato de cereales.

Consejo

Las verduras deben quedar confitadas. Si sueltan demasiado líquido, déjalas cocer sin tapar el tiempo necesario para que se evapore.

EFECTO DETOX
Todas estas verduras tienen funciones diuréticas. La cebolla y el ajo contribuyen al buen estado de las arterias. El anís estrellado es un depurativo global que acentúa todavía más el efecto purificante de este plato.

Puré de calabacín al comino

Ingredientes para 4 personas

1 kg de calabacín • 1 cebolla • 2 dientes de ajo
1 yogur desnatado • 2 cucharadas soperas de aceite de oliva
1 cucharadita de café de comino
sal y pimienta

Preparación

1/ Enjuaga los calabacines y pélalos con la ayuda de un pelador alternando una parte sí y una no. Córtalos en rodajas.

2/ Pela los dientes de ajo, córtalos en dos a lo largo y quítales la parte central. Córtalos en juliana.

3/ Pela la cebolla y córtala en juliana.

4/ En una olla, pon a calentar el aceite a fuego medio, añade el ajo, remueve y deja cocer 1 minuto. Agrega la cebolla, remueve y deja cocer 1 minuto más. Después añade los calabacines. Salpimienta, añade el comino y remueve. Tapa, baja el fuego y deja hacer a fuego lento 20 minutos. Vigila durante la cocción y añade 2 ó 3 cucharadas de agua si ves que se seca mucho.

5/ Cuando la mezcla esté lista, viértela junto con los jugos de cocción en una batidora y bátela hasta obtener un puré bien fino. Añádele el yogur, remueve bien para obtener un puré homogéneo y sirve inmediatamente.

Consejo

Si utilizas calabacines de cultivo biológico, puedes cocerlos sin pelarlos. Si no es el caso y usas calabacines de cultivo intensivo, es mejor que los peles del todo, pues los productos químicos se concentran en la piel.

EFECTO DETOX

En este plato, que puede acompañar carnes, pescados y cereales, los calabacines te harán aprovechar plenamente sus virtudes diuréticas. El comino, con sus virtudes digestivas, completa la acción de los calabacines.

Láminas de corazones de alcachofa a las finas hierbas

Ingredientes para 4 personas

6 alcachofas • 2 dientes de ajo
5 ramas de perejil • 1 ramo pequeño de cebollino • 1 ramo pequeño de perifollo
2 cucharadas soperas de aceite de oliva
sal y pimienta

Preparación

1/ Enjuaga las alcachofas, córtales los tallos a ras de la base y corta las hojas a 1 cm por encima del corazón. Córtalas en dos por la mitad, quítales la pelusa que se encuentra en el centro y después corta cada mitad en láminas.

2/ Pela los dientes de ajo, córtalos en dos a lo largo, quítales la parte central y después pásalos por la prensa de ajos.

3/ En una sartén pon a calentar el aceite de oliva a fuego medio, pon el puré de ajo, remueve y después añade las láminas de alcachofa. Salpimienta y remueve. Déjalas cocer 5 minutos removiendo de vez en cuando.

4/ Baja el fuego, añade un vaso pequeño de agua, cubre y deja cocer 20 minutos.

5/ Enjuaga las hierbas. Saca las hojas de perejil y de perifollo y ponlas en un vaso con el cebollino. Córtalo todo fino. Añádelas al final de la cocción.

6/ Sirve caliente acompañando a un plato de pescado, de carne blanca o de cereales.

Consejo

Elige alcachofas jóvenes muy frescas, porque son bien tiernas. Puedes variar las hierbas en función de tus gustos.

EFECTO DETOX
Las alcachofas limpian el hígado y las hierbas contribuyen a la desintoxicación general del organismo.

calabacines *limón*

Ramos de judías verdes al perejil

Ingredientes para 4 personas

600 g de judías verdes frescas • 1 calabacín • el zumo de 1 limón
2 dientes de ajo • 2 chalotas • 1 ramo de perejil • 1 manojo pequeño de cebollino
1 cucharada sopera de salsa de soja • 2 cucharadas soperas de aceite de oliva
sal y pimienta

Preparación

1/ Quítales las puntas a las judías verdes y enjuágalas. Pon a calentar agua con sal en una cacerola. Cuando hierva, echa las judías verdes. Déjalas cocer sin tapar 10 minutos.

2/ Durante este tiempo, enjuaga el calabacín y pélalo alternando una parte sí y una no. Extiende las tiras de calabacín en un plato, sálalas ligeramente y báñalas con el zumo de limón.

3/ Enjuaga los tomates. Reserva 12 briznas de cebollino y corta fino el resto.

4/ Pela los dientes de ajo y pásalos por la prensa de ajos. Pela las chalotas y córtalas en juliana.

5/ Escurre las judías verdes y los calabacines.

6/ Forma pequeños ramos con las judías verdes y átalos con una tira de calabacín. Mantén cada ramo con un palillo.

7/ En una sartén pon a calentar el aceite de oliva a fuego medio, añade el ajo, las chalotas, el perejil y el cebollino cortados. Remueve y deja cocer 2 minutos. Dispón en la sartén cuidadosamente los ramos de judías verdes dejándolos dorar 2 minutos y entonces dales la vuelta con precaución y déjalos cocer 2 minutos más.

8/ Retira los ramos de judías verdes y colócalos en un plato.

9/ En el fondo de la sartén vierte 1 cucharada sopera de salsa de soja y 1 cucharada sopera de agua. Vuelve a poner al fuego unos instantes, removiendo y después vierte sobre los ramos de judías verdes. Sirve inmediatamente.

Consejo

Si no tienes cebollino, puedes atar los ramos con hilo alimentario. Puedes montar los ramos con antelación y ponerlos a cocer con el perejil en el último momento.

EFECTO DETOX
Las fibras de las judías verdes tienen un alto poder para saciar. Este plato permite, pues, comer ligero sin tener hambre en las horas siguientes. El perejil y el cebollino mejoran la digestión. El ajo y la cebolla contribuyen a la limpieza de las arterias.

calabacines

rama de apio

Juliana de verduras a las semillas de hinojo

Ingredientes para 4 personas

500 g de judías verdes frescas • 4 calabacines
3 ramas de apio • 1 cebolla • 2 dientes de ajo • 2 cucharadas soperas de aceite de oliva
1 cucharadita de café de semillas de hinojo molidas
sal y pimienta

Preparación

1/ Quítales las puntas a las judías verdes, enjuágalas y córtalas a trozos de 1 cm más o menos. Pon a calentar agua con sal en una cacerola. Cuando hierva, pon las judías y déjalas cocer 20 minutos. Escúrrelas y resérvalas.

2/ Pela los dientes de ajo y pásalos por la prensa de ajos. Pela la cebolla y córtala en juliana.

3/ Enjuaga los calabacines y pélalos alternando una parte sí y una no. Córtalos en dos a lo largo, retira las semillas del centro y córtalos a trozos de 1 cm más o menos. Reserva.

4/ Limpia las ramas de apio, retira los filamentos fibrosos y corta la parte tierna en juliana.

5/ Pon a calentar 1 cucharada de aceite de oliva a fuego lento en una olla. Pon el ajo triturado, remueve, deja cocer 1 minuto y luego añade la cebolla, el apio y las semillas de hinojo molidas. Remueve y deja cocer 1 minuto. Añade a continuación los calabacines, salpimienta, tapa y deja cocer 5 minutos, el tiempo para que los calabacines suelten sus líquidos.

6/ Añade entonces las judías verdes, remueve, si es necesario rectifica de sal y pimienta y tapa de nuevo. Baja el fuego y deja hacer lentamente 10 minutos.

7/ En el momento de servir añade en forma de hilo el resto del aceite de oliva.

Consejo

Este plato se puede degustar caliente o frío. Si te gusta el perfume del hinojo, puedes añadir un bulbo cortado en juliana que habrás incorporado al mismo tiempo que el apio.

EFECTO DETOX

Todas las verduras de esta receta, como las semillas de hinojo, contribuyen a la limpieza del organismo. Las fibras de los calabacines y de las judías verdes tienen una acción suavemente laxante.

cerezas

limón

Copa de cerezas al requesón con limón

Ingredientes para 4 personas

500 g de cerezas
500 g de requesón desnatado batido
2 cucharadas soperas de miel • el zumo de 1 limón
1 gota de aceite esencial de limón

Preparación

1/   Lava las cerezas y escúrrelas bien. Quítales el rabo, córtalas en dos y retira el hueso. Resérvalas en la nevera.

2/   En un bol, mezcla la miel y el zumo de limón. Añade 1 gota de aceite esencial de limón. Bate bien para incorporar bien la miel.

3/   En un cazo vierte el requesón y añade la miel al limón. Mezcla bien. Reparte en copas individuales. Dispón por encima las cerezas deshuesadas. Sirve frío.

Consejo

Elige cerezas un poco ácidas y bastante firmes. Ten cuidado con el aceite esencial de limón y no pongas más que una gota, pues su sabor es muy fuerte. Pero hay quien le pone un toque de piel de limón al requesón.

EFECTO DETOX

Las cerezas, muy diuréticas, son uno de los grandes drenadores del organismo. El requesón aporta proteínas fácilmente asimilables y la miel un poco de glúcidos rápidos que dan energía.

Mangos rustidos a la lavanda

Ingredientes para 4 personas

2 mangos grandes • 1 cucharada sopera de miel
1 puñadito de nueces desmenuzadas • 2 cucharadas soperas de flores de lavanda
1 cucharada sopera de aceite de girasol

Preparación

1/ Pela los mangos y córtalos en rodajas de unos 2 cm de espesor.

2/ Pon a calentar el equivalente de una taza de agua, pon en ella las flores de lavanda y deja en infusión 10 minutos.

3/ En una sartén pon a calentar a fuego medio el aceite de girasol. Pon las rodajas de mango y deja que cuezan 1 minuto. Dales la vuelta con cuidado y déjalas cocer 1 minuto más por el otro lado.

4/ Retira las rodajas de mango y ponlas en un plato.

5/ Vierte la cucharada de miel y 3 cucharadas soperas de la infusión de lavanda ya colada. Vuelve a poner al fuego unos instantes removiendo sin parar.

6/ Dispón las nueces desmenuzadas sobre las rodajas de mango y báñalo todo con la salsa de lavanda y miel. Sirve tibio.

Consejo

Puedes reemplazar la infusión de lavanda por una infusión de melisa o de regaliz. Este postre también se puede degustar frío.

EFECTO DETOX
El mango es una fruta muy rica en vitaminas antioxidantes. Contribuye a la desintoxicación al proteger al organismo contra los radicales libres. Pero las vitaminas antioxidantes resisten mal el calor, por lo que tienes que rustir los mangos muy poco tiempo.

Ensalada de piña y de pomelo rosa

Ingredientes para 4 personas

2 pomelos rosas • 1 piña natural • 1 vaina de vainilla
1 trozo pequeño de jengibre fresco • 2 cucharadas soperas de azúcar moreno
algunas hojas de menta

Preparación

1/ Corta los dos extremos de la piña y después córtala a cuartos a lo largo. Quita la cáscara y la parte central fibrosa de cada cuarto y después córtala a dados pequeños.

2/ Ponlos en una ensaladera.

3/ Pela los pomelos. Desgaja los cuartos y quítales la parte blanca. Corta los cuartos en dos y añádelos a la ensaladera.

4/ Pon la ensaladera en la nevera 12 minutos para dejar que las frutas suelten sus jugos.

5/ Saca dos cucharas soperas de este zumo y viértelas en un bol.

6/ Pela el jengibre y ralla un poco en el zumo. Corta la vaina de vainilla a lo largo y quítale los granos, que pondrás en el zumo perfumado al jengibre. Remueve bien. Añade el azúcar. Remueve más y viértelo todo en la ensaladera.

7/ Remueve bien la ensalada de fruta y después reserva en la nevera.

8/ En el momento de servir decora con las hojas de menta.

Consejo

Elige una piña bastante madura para que su carne sea tierna y suelte zumo. Si las frutas no sueltan bastante, añade un poco de zumo de naranja o de pomelo.

EFECTO DETOX

La piña es drenadora y posee compuestos que ayudan a la digestión de las proteínas. Así que puedes tomar este postre después de un plato de carne o de pescado. El pomelo es diurético y estimula el sistema digestivo.

Ciruelas a la naranja

Ingredientes para 4 personas

400 g de ciruelas • 2 naranjas
1 cucharada sopera de azúcar moreno

Preparación

1/ Corta las ciruelas en dos y quítales el hueso.

2/ Retira la piel de media naranja, quítale la parte blanca del interior y córtala en juliana.

3/ Exprime el resto de las naranjas. Pon las ciruelas a ablandar en el zumo.

4/ En una cacerola pon las pieles cortadas en juliana, la cucharada de azúcar y 1 cucharada sopera de agua. Cuécelo todo a fuego lento, vigilando, 15 minutos.

5/ Cuando las pieles estén blandas, añade las ciruelas y el zumo de naranja y deja que todo cueza a fuego lento 15 minutos más.

6/ Sirve tibio.

Consejo

Utiliza naranjas de cultivo biológico para poder consumir la piel sin riesgo de inge-rir al mismo tiempo productos químicos. Puedes preparar este postre con antelación y consumirlo frío.

EFECTO DETOX

Las ciruelas aceleran el tránsito intestinal. La naranja aporta vitaminas antioxidantes con la condición de que no calientes su zumo demasiado tiempo ni a fuego demasiado alto.

Fresas al jengibre confitado

Ingredientes para 4 personas

800 g de fresas • 1 bote pequeño de jengibre confitado
¼ de cucharada sopera de jengibre en polvo
5 ramas de menta • el zumo de 1 limón
2 cucharadas soperas de azúcar moreno

Preparación

1/ Enjuaga las fresas, quítales los rabos y córtalas a cuartos. Ponlas en una ensaladera.

2/ Exprime el limón. En un bol mezcla este zumo con el azúcar y el jengibre en polvo. Añádelo a las fresas y deja reposar en la nevera.

3/ Mientras tanto, retira las hojas de menta, ponlas en un vaso y córtalas finamente.

4/ Corta los trozos de jengibre confitado en juliana.

5/ En el último momento, añade el jengibre y la menta cortada a las fresas, mezcla bien y sirve inmediatamente.

Consejo

Esta ensalada de frutas es mejor si la preparas con antelación y si la dejas reposar al menos una hora en la nevera antes de ponerle la menta y el jengibre confitado.

EFECTO DETOX
Las fresas, grandes depuradoras del hígado, limpian el organismo, y el jengibre tiene un efecto tonificante. Esta ensalada de frutas permite eliminar un gran número de toxinas y contribuye a mejorar el tono físico y mental.

Higos rustidos con uvas

Ingredientes para 4 personas

8 higos pequeños
400 g de uvas rojas + 100 g para el zumo (o 1 vaso de zumo de uva biológico)
¼ de cucharadita de canela en polvo
1 cucharadita de azúcar vainillado

Preparación

1/ Precalienta el horno a 180 °C (termostato 6).

2/ Pela las uvas, quítales las pepitas y ponlas en una ensaladera.

3/ Mezcla en un bol el azúcar vainillado y la mitad de la canela.

4/ Lava los higos y quítales el extremo fibroso. Ponlos en un molde de horno. Ponles por encima el azúcar mezclado con la canela.

5/ Lleva al horno 5 minutos.

6/ Escurre las uvas y reserva el zumo. Añade a este zumo los 100 g de uvas chafadas (o el vaso de zumo de uva), la otra mitad de la canela y ponlo todo en una cacerola a calentar a fuego lento 2 minutos.

7/ Saca los higos del horno. Repártelos de dos en dos en copas de postre. Añade los granos de uva y báñalo todo con el zumo caliente. Sirve inmediatamente.

Consejo

Si no te gusta la canela, puedes sustituirla por granos de vainilla o por jengibre en polvo.

EFECTO DETOX

La uva es muy diurética y limpia los riñones. Las fibras de los higos aceleran el tránsito intestinal. Este simple postre acelera, al mismo tiempo, la eliminación renal y la intestinal.

Sorpresa de pomelo

Ingredientes para 4 personas

2 pomelos rosas
250 g de fresas • 6 ciruelas
1 bolsa de azúcar vainillado

Preparación

1/ Enjuaga las fresas, quítales el rabo y córtalas a cuartos. Ponlas en una ensaladera y añade el azúcar vainillado. Remueve.

2/ Corta las ciruelas en dos, quítales el hueso y córtalas en juliana. Añádelas a las fresas. Remueve.

3/ Corta en dos los pomelos. Retira la carne interior con una cuchara y añade los trozos de pulpa a la ensaladera. Mezcla.

4/ Cuando hayas terminado de vaciar los pomelos, quita la piel del interior hasta que sólo quede la cáscara. Rellena ésta con las frutas bien mezcladas. Sirve frío.

Consejo

Puedes preparar esta ensalada con antelación. En este caso, consérvala en la nevera tapada con film plástico. Conserva las cáscaras de pomelo aparte, enrolladas también con film plástico. Rellénalas en el último momento.

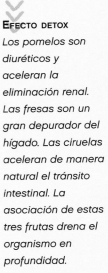

EFECTO DETOX

Los pomelos son diuréticos y aceleran la eliminación renal. Las fresas son un gran depurador del hígado. Las ciruelas aceleran de manera natural el tránsito intestinal. La asociación de estas tres frutas drena el organismo en profundidad.

Melón al anís

Ingredientes para 4 personas

2 melones pequeños • 1 naranja
1 gota de aceite esencial de anís estrellado
1 cucharada sopera de azúcar moreno
2 cubitos de hielo

Preparación

1/ Corta los melones en dos a lo ancho. Quítales las pepitas.

2/ Exprime la naranja, cuela el zumo, añádele el azúcar moreno y 1 gota de aceite esencial de anís estrellado.

3/ Tritura los cubitos de hielo y añádelos al zumo de naranja aromatizado. Rellena las mitades de melón con esta mezcla. Sirve inmediatamente.

Consejo

Si preparas estos melones con antelación, no utilices el hielo triturado. Conserva las mitades de melón en la nevera, cubiertas con film plástico, al igual que el zumo, también tapado así. Rellena los melones en el último momento.

EFECTO DETOX

El melón es muy diurético. Contiene vitaminas antioxidantes que te protegen contra los radicales libres.

>>> ANEXOS

Lo que siempre debemos tener en casa

Para cocinar deliciosos platos detox necesitamos: sal y pimienta, naturalmente, materias grasas, especias, hierbas aromáticas, condimentos…
Aquí presentamos unos cuantos que participarán en la desintoxicación
del organismo.

>>>   Los aceites vegetales

Es un ingrediente fundamental de la cocina sana. Cualesquiera que sean
nuestras necesidades en cuanto a salud, siempre necesitaremos un correcto
aporte de ácidos grasos esenciales. Mientras que las grasas animales son ne-
fastas y colapsan nuestras arterias, aumentan el almacenamiento innecesa-
rio de grasa y nos impiden librarnos de los deshechos, los aceites vegetales
crudos resultan indispensables para mantener el buen estado de salud general de nuestro organismo sin producir una sobrecarga de toxinas. No
existe un aceite más graso o menos graso que otro. Todos están compuestos
por lípidos que tienen aproximadamente la misma densidad calórica (más
o menos 880 calorías por cada 100 g). La diferencia entre los distintos
aceites reside en la composición de sus ácidos grasos esenciales monoinsa-
turados o poliinsaturados (la familia a la que pertenecen los famosos
omega-3 y omega-6). Variando los tipos de aceite que se consumen, estare-
mos variando la composición de los ácidos grasos esenciales que aportare-
mos al organismo. Es una buena manera de cubrir las necesidades sin
pensar en ello.
Vale más utilizar aceites vegetales de primera presión en frío (si es posible
ecológicos), porque la extracción del aceite mediante calentamiento des-
truye una parte de los ácidos grasos, muy frágiles y poco resistentes a las altas
temperaturas. Por la misma razón, lo más conveniente es consumirlos en
crudo. Cuando tenemos necesidad de calentar un cuerpo graso, debere-
mos utilizar un aceite de sabor neutro que resista bien la temperatura
(como el de girasol o el de cacahuete) y añadir, al final de la cocción, otro
tipo de aceite crudo que incorpore todos sus nutrientes y su particular sabor.

ACEITE DE AVELLANA	rico en ácido oleico.
ACEITE DE CACAHUETE	aporta muchos ácidos grasos monoinsaturados.
ACEITE DE CARDO	rico en ácido linoleico y con un poco de ácido oleico.
ACEITE DE GIRASOL	aporta un poco de ácido alfa-linoleico, de ácido oleico y, sobre todo, de ácido linoleico.
ACEITE DE MAÍZ	rico en ácidos oleico y linoleico.
ACEITE DE NUEZ	rico en ácido linoleico.
ACEITE DE OLIVA	el campeón indiscutible del ácido oleico.
ACEITE DE PEPITAS DE UVA	rico en ácido linoleico.
ACEITE DE SÉSAMO	presenta un estupendo equilibrio entre ácidos oleico y linoleico, aunque contiene poco alfa-linoleico.
ACEITE DE SOJA	completa al de sésamo porque aporta ácidos oleico y alfa-linoleico.

Los vinagres

El empleo medicinal del vinagre se daba ya en la Antigüedad. Se utilizaba tanto para luchar contra la fiebre como para limpiar llagas. Hoy en día el vinagre se encuentra en todas las cocinas, pero por razones muy diferentes. Tiene mucho potasio y participa en la recarga mineral. Contribuye al mantenimiento del equilibrio ácido-alcalino del interior del tubo digestivo. Podemos variar de vinagre: vinagre de sidra aromatizado con miel o jengibre, vinagre de vino natural o aromatizado con higos, frambuesas, cebollas, nueces... O vinagre balsámico, menos ácido y más gustoso, que se puede tomar solo o mezclado con las variedades anteriores.

La salsa de soja

Permite aromatizar naturalmente algunos platos. Antes de comprar la salsa de soja, debemos verificar en la etiqueta que no contiene aditivos químicos.

El pan natural

El pan es un alimento muy completo que podemos consumir durante una ingesta a condición de que ésta no contenga otros glúcidos lentos. Es mejor el pan integral o semiintegral, porque el proceso de refinado que se requiere para que la harina sea blanca elimina gran parte de los nutrientes, que están contenidos en el envoltorio del grano de trigo. Además, el refinado convierte los glúcidos en rápidos, más rápidamente asimilables y, por lo tanto, menos interesantes desde el punto de vista nutricional. Y lo más importante: compremos el pan elaborado con levadura natural. Esta levadura, preparada a partir de pasta de pan fermentada, contiene hongos microscópicos que predigieren ciertos elementos nutritivos del trigo, haciéndolo mucho más fácil de absorber.

El ajo y la cebolla

Estas hortalizas son ampliamente utilizadas en cocina como base aromática. No hay que privarse de ellas porque tienen numerosas virtudes nutricionales. El ajo es un excepcional protector del sistema cardiovascular y ayuda a que la sangre fluya bien (actúa de forma notable a nivel de microcirculación de la sangre en el cerebro). La cebolla contiene muchos antioxidantes. Ambos participan en el equilibrio del organismo en períodos de limpieza interna.

Los lácteos 0% materia grasa

La leche es un verdadero alimento cuya producción no requiere de grandes manipulaciones industriales ni del añadido de muchos aditivos o agentes de textura. En el ámbito de la alimentación detox, aporta minerales y aminoácidos sin sobrecargar el organismo con grasas animales. Los yogures y los quesos frescos y semicurados provocan menos intolerancia que la leche en sí misma, porque algunas de las moléculas de lactosa han sido predigeridas en el proceso de fermentación.

La miel

Es un alimento altamente energético que sustituye ventajosamente al azúcar blanco en la preparación de postres. Aunque esté compuesta por un 99% de azúcar, se trata de glucosa y fructosa mezcladas, que necesitan de las funciones del páncreas de manera menos brutal. La miel contiene pocas vitaminas pero aporta minerales. Permite realzar el sabor de las ensaladas de frutas o de las cremas caseras.

Las semillas de apio y de hinojo

Estas semillas tienen virtudes depurativas. Podemos usarlas enteras o reducidas a polvo para perfumar platos o para hacer infusiones aromáticas que acompañarán agradablemente nuestras comidas.

Podemos utilizarlas frescas de temporada, o congeladas. Estas hierbas soportan bien el proceso de congelación y su sabor y virtudes no se ven alteradas de manera importante. No sólo aportan su sabor sino que poseen auténticas cualidades depurativas.

ALBAHACA	es una planta digestiva que, entre otras virtudes, ayuda a la degradación de los alimentos en el estómago, mejorando así la asimilación de los nutrientes.
ANÍS ESTRELLADO	mejora la digestión y actúa como depurativo. Podemos usarlo para cocinar o para beber en infusión.
CEBOLLINO	limita las fermentaciones intestinales y facilita la expulsión de los gases.
CILANTRO	es digestivo y ligeramente diurético.
ENEBRO	es ligeramente diurético.
FLORES DE LAVANDA	son un calmante natural muy eficaz y útil para desintoxicar la mente y el cuerpo. También puede beberse en infusión acompañando las comidas.
MELISA	es digestiva y calmante. Tiene un agradable aroma cítrico. Podemos usarla tanto en cocina como en tisanas para acompañar las comidas.
MENTA	estimula, tonifica y se opone a la fermentación intestinal de algunos alimentos. Además, es un estimulante físico.
PEREJIL	es un tonificante (una mina de vitamina C) que estimula la actividad renal y que actúa como diurético.
PERIFOLLO	es a la vez diurético y tonificante.
ROMERO	estimula la actividad digestiva y especialmente la actividad del hígado. Mejora la evacuación de las toxinas respiratorias. Es indispensable cuando estamos resfriados. Puede usarse para guisar y para tomar en infusión que acompañe los platos.
TOMILLO	es un tonificante y digestivo que actúa sobre el hígado y la vesícula biliar. Puede usarse en cocina o como infusión para beber durante las comidas.

ÍNDICE POR PRODUCTOS

Título de la edición original Ma cuisine. Détox

Es propiedad, 2008
© Éditions Minerva, Ginebra, Suiza

© de la edición en castellano, 2011:
Editorial Hispano Europea, S. A.
Primer de Maig, 21 – Pol. Ind. Gran Via Sud
08908 L'Hospitalet – Barcelona, España.
E-mail: hispanoeuropea@hispanoeuropea.com
Web: www.hispanoeuropea.com

© de la traducción: Pilar Guerrero

Depósito Legal: B. 923-2011

ISBN: 978-84-255-1943-7

Consulte nuestra web:
www.hispanoeuropea.com

Impreso en España
T. G. Soler, S. A.
Enric Morera, 15
08950 Esplugues de Llobregat